CIP-GEGEVENS
QUESTIONING
Questioning Europe: Reinterpretations within Photography
Fotografie Biënnale Rotterdam / [Red. Bas Vroege...
et al.; vert. Michael Gibbs... et al.]. – Rotterdam:
Uitgeverij 010. – Foto's
Tekst in het Nederlands en Engels. –
Tentoonstellingscatalogus. – Met lit. opg.
ISBN 90 - 6450 - 070 - 3
SISO 760.5 UDC 779 NUGI 922
Trefw.: fotografie.

© 1988, Stichting Fotografie Biënnale Rotterdam,
Uitgeverij 010 Publishers.
Foto omslag / photo cover: Henk Tas, De Museumvrienden, 1987
(Courtesy Torch Gallery, Amsterdam; collectie / collection Verstraeten, België / Belgium).
Vormgeving / design: Studio Bauman, Rotterdam.

ISBN 90 - 6450 - 070 - 3

QUESTIONING EUROPE

REINTERPRETATIONS WITHIN PHOTOGRAPHY

David Balsells
Els Barents
Josephine van Bennekom
Antonín Dufek
Ute Eskildsen
Christine Frisinghelli
Mariëtte Haveman
Joop de Jong
Ritva Keski-Korhonen
Reyn van der Lugt
Robert Meyer
Alexandra Noble
Jean-Luc & Michèle Tartarin
Georges Vercheval
Hripsimé Visser
Bas Vroege

Uitgeverij 010 Publishers

Rotterdam, 1988

Reyn van der Lugt

Reyn van der Lugt is director of
'Rotterdam '88 – The City: a Stage'.

Reyn van der Lugt is directeur van
'Rotterdam '88: De stad als podium'.

CITY OF PHOTOGRAPHY

JANNES LINDERS
Holland Amerika Line Terminal, 1985

—— The initiative for this first Fotografie Biënnale Rotterdam was taken by Perspektief, Centre for Photography. This is not so surprising for, since it was founded in 1980 by a group of artists and photographers, Perspektief has devoted itself to the general development of photography in The Netherlands. At the same time an interesting group of photographers has formed itself in this city, in the field of both documentary photography and staged photography. The latter is even referred to as the Rotterdam School.

Perspektief, which also publishes a magazine of the same name, has developed in recent years more and more into a nationally prominent institution for photography. Projects such as 'Architecture and Photography' in 1985 and 'Commissioned Photography' in 1987 managed to bring together local, national and international components in an exciting way. What took place were not only presentations to the public in the form of exhibitions and catalogues, but also a confrontation amongst colleagues by means of lectures, workshops and conferences.

—— With such capacities in the city and the obvious recognition of photography as a cultural discipline, it was natural that a photography project had to be an essential part of the cultural festival 'Rotterdam '88, the city a stage'. The Biennale formula, with ten countries from East and West Europe being invited for this first occasion, means that this photography project has to take place every two years. The organisation has been entrusted to the Fotografie Biënnale Rotterdam Foundation, which was specially set up for the purpose, and which has succeeded in establishing contacts with photography centres in several European countries. It is gratifying that, as happened earlier this year with the 'Sculpture in the city' project, almost all the museums and private galleries in Rotterdam are attuning their exhibition programmes during August and September to the Fotografie Biënnale. This means that it is possible to show many aspects of contemporary European photography at one time, and moreover to bring a broad range of Dutch photography to the attention of international critics.

—— The Fotografie Biënnale is the second exhibition, after 'Sculpture in the city', to be held in the newly opened Kunsthal Rotterdam '88 on the Wilhelminakade. This building, formerly the passengers' terminal of the Holland Amerika Line, inspired many photographers during the Fifties and Sixties to make fascinating and often dramatic pictures.

My hope is that the 1988 Fotografie Biënnale Rotterdam in the Kunsthal will signify an important addition to the series of major photography festivals in Holland and Europe and likewise strengthen Rotterdam's role as a city of photography.

STAD VAN DE FOTOGRAFIE

Het initiatief tot deze eerste Fotografie Biënnale Rotterdam werd genomen door Perspektief, Centrum voor fotografie. Dit is niet zo verwonderlijk want sinds haar oprichting in 1980 door kunstenaars en fotografen, heeft dit centrum zich op een breed terrein ingezet voor de ontwikkeling van de fotografie in Nederland. Tegelijkertijd heeft zich in deze stad een belangwekkende groep fotografen gevormd, zowel op het terrein van de documentaire fotografie als van de geënsceneerde fotografie; de laatste wordt ook wel als de Rotterdamse School aangeduid.

Perspektief, dat ook een gelijknamig tijdschrift uitgeeft, heeft zich de laatste jaren steeds meer ontwikkeld tot een nationaal toonaangevende instelling voor de fotografie. Projecten als 'Architectuur en fotografie' in 1985 en 'Fotografie in opdracht' in 1987 wisten op een spannende wijze lokale, nationale en internationale componenten bij elkaar te brengen. Hierbij vond niet alleen een presentatie aan het publiek plaats in de vorm van exposities en catalogi, doch ook een confrontatie tussen vakgenoten door middel van lezingen, workshops en conferenties.

—— Met dergelijke kwaliteiten in de stad en de vanzelfsprekende erkenning van fotografie als culturele discipline, lag het voor de hand dat een fotografieproject een essentieel onderdeel zou moeten zijn van de culturele manifestatie 'Rotterdam '88, de stad als podium'. De Biënnaleformule, waarbij voor deze eerste keer tien landen uit West- en Oost-Europa zijn uitgenodigd, moet van dit fotografieproject een tweejaarlijkse manifestatie maken. De organisatie is in handen gegeven van de speciaal daartoe opgerichte Stichting Fotografie Biënnale Rotterdam, die kontakten wist te leggen met fotografische centra in vele Europese landen. Het is verheugend dat, zoals eerder dit jaar met het project 'Beelden in de stad' gebeurde, ook nu bijna alle Rotterdamse musea en particuliere galeries hun tentoonstellingsprogramma in augustus en september afstemmen op de Fotografie Biënnale. Hierdoor is het mogelijk in één keer vele facetten van de hedendaagse Europese fotografie te tonen en bovendien op een brede schaal de Nederlandse fotografie onder de aandacht te brengen van de internationale kritiek.

—— De Fotografie Biënnale is na 'Beelden in de stad' de tweede expositie van de in mei geopende Kunsthal Rotterdam '88 aan de Wilhelminakade. Deze voormalige passagiershallen van de Holland Amerika Lijn inspireerden in de jaren vijftig en zestig vele fotografen tot het maken van fascinerende en vaak dramatische beelden.

Op een geheel andere wijze hoop ik dat in 1988 de Fotografie Biënnale Rotterdam in de Kunsthal een belangrijke aanvulling zal betekenen voor de reeks grote fotomanifestaties in Nederland en Europa en tevens de rol van Rotterdam als stad van de fotografie zal versterken.

Josephine van Bennekom, Joop de Jong, Hripsimé Visser, Bas Vroege

VERANTWOORDING Doel van de Fotografie Biënnale Rotterdam is een ontmoetingsplek te creëren voor fotografen, critici, historici en andere betrokkenen. Het organiseren van een groot evenement was daarbij in eerste instantie van secundair belang; de kwaliteit en de mogelijkheid tot discussie en uitwisseling op het vlak van nieuwe ontwikkelingen in de fotografie stonden voorop. Door het, op deze schaal onverwachte aansluiten van bijna alle musea en galeries in de stad, is het daarnaast ook een groot evenement, voor een groot publiek geworden.
—— Veel dank zijn wij verschuldigd aan Ute Eskildsen, Alexandra Noble en Els Barents die twee maal een dag met ons discussieerden over het thema, de uit te nodigen landen, de te benaderen curatoren en de voorwaarden waaraan inzendingen zouden moeten voldoen. Een aantal van die uitgangspunten willen wij hier nog even expliciet noemen: beperking tot tien landen in verband met de beschikbare ruimte, beperking tot Europa omdat daarmee een redelijk gefundeerde uitspraak over een specifiek gebied zou kunnen worden gedaan, volledige autonomie van de uit te nodigen curatoren, minimaal twee en maximaal vijf deelnemers per land en werk dat niet ouder dan drie jaar zou mogen zijn.
—— Voor zover mogelijk werden curatoren gekozen, die verbonden zijn aan instellingen die behoren tot de officiële fotografische infrastructuur van de desbetreffende landen. Wij hopen op deze wijze de samenwerking tussen de diverse instellingen in Europa te hebben kunnen vergroten, de afzonderlijke posities van die instellingen zonodig een zetje in de goede richting te hebben kunnen geven en een signaal te hebben afgegeven in de richting van de overheden van die landen waar nog niet of nauwelijks sprake is van museale activiteit op dit gebied.
—— Tot onze spijt is de spreiding tussen Oost- en West-Europa ditmaal niet optimaal. Graag hadden wij nog minimaal één extra deelnemend land uit Oost-Europa in Rotterdam vertegenwoordigd gezien. Problemen stonden dat echter op het laatste moment in de weg.
Eén van die problemen was financieel van aard en hield direct verband met de uitgangspunten van deze biënnale, die afhankelijk is van de financiering van de eigen landeninzending.
—— Tot slot iets over de voors en tegens van een tentoonstelling in deze vorm; gemaakt door tien verschillende mensen uit tien verschillende landen met een voor de huidige situatie representatief maar tamelijk ruim thema: 'Reinterpretations within Photography'.
Klein lijkt de kans op een zo coherente presentatie dat de tentoonstelling zodanig representatief is voor een mentaliteit dat ze zal gaan behoren tot het legendarische rijtje 'Mijlpalen en smaakverstuivers' waar Mariëtte Haveman haar artikel in deze catalogus aan wijdt.
Klein lijkt ook de kans op het soort tentoonstelling dat in feite zelf het kunstwerk vormt en dat kunstenaars degradeert tot loopjongens.
Groot lijkt de kans op veelzijdigheid en pluriformiteit.

|NTRODUCTION

—— The aim of the Photography Biënnale Rotterdam is to provide a meeting place for photographers, critics, historians, and others involved with photography. Organising a grand event was in this respect of secondary importance: what matters is quality, and the possibility for discussion and an exchange of ideas in the field of new developments in photography. Through the link-up on an unexpectedly large scale with almost every museum and art gallery in the city it did indeed become a grand event, for a large public.
—— Many thanks are due to Ute Eskildsen, Alexandra Noble, and Els Barents who met with us twice a day to discuss the theme, the countries to be invited, the curators to be approached, and the conditions to be met by the entries. Points we would like to mention by name include limiting entry to ten countries in connection with the available space; limiting entry to European countries, which means that reliable statements can be made about a definite area; allowing the invited curators complete independence; allowing no less than two and no more than five participants per country; and accepting work no more than three years old.
—— As far as possible the curators chosen were linked to institutions belonging to the official photographic infrastructure of the countries concerned. This way we hope to have been able to increase cooperation between the various institutions across Europe, to give the individual status of each a shot in the arm, and to send a message in the direction of the governments of those countries where museum activities in this field are virtually non-existent.
—— To our regret the participating countries were not as evenly spread across Eastern and Western Europe as was desired. We would have liked to have seen represented at least one more country from Eastern Europe. Last-minute problems, however, prevented this from happening. One of these problems was of a financial nature, directly connected with the financial conditions of the Biënnale, concerning each country's individual contribution.
—— Finally, a word about the pros and cons of an exhibition of this type; set up by ten people each from a different country with a theme representative of the current situation yet broad in scope; 'Reinterpretations within Photography'.
There seems little chance of its presentation being so coherent that the exhibition so typifies particular concepts as to warrant inclusion in the legendary ranks on 'Milestones and Trendsetters', the subject of Mariëtte Haveman's contribution to this catalogue.
Nor does there appear much chance of it becoming the type of exhibition which itself constitutes the art work and reduces the artists to mere errand-boys.
The chances are good, however, that it will be an event that shows considerable pluriformity.

Bas Vroege

Bas Vroege is director of Perspektief
(Centre for Photography), Rotterdam.

Bas Vroege is directeur van Perspektief
(Centrum voor fotografie), Rotterdam.

Melting POT

SOME THOUGHTS IN CONNECTION WITH THE THEME OF THE BIËNNALE

—— More than one critic has in the recent past drawn our attention to the exhaustion of the arsenal of formal-aesthetic possibilities of photography as a chemico-optical medium. Equally, others have speculated on the rapid acceptance of classical photography as an art form in the era, now dawning, of creating an image electronically. Messing around in the dark-room is fast acquiring the aura of a genuine craft, one as detached from us as brush and canvas, etching technique, or lithography, which, after all, are what the general public equates with art. But it has not come to that yet; that particular revolution still has to take place, even though we are on the threshold.

—— The point of departure for the Fotografie Biënnale Rotterdam was the display of new developments in photography as an independent medium. What is remarkable is that none of the artists taking part are using electronic photography. Here chemistry still prevails, although the message conveyed by the search by many for new meanings is significant. At the beginning of this decade the editor of the magazine European Photography, Andreas Müller-Pohle, made an inventory of the state of European photography at that moment. It all looked so wonderfully easy to survey: there were only three distinct principal streams, namely, documentary photography, conceptual photography, and visualism. Each had its own creed and its own sympathisers, and appeared to describe photographic practices of that time quite adequately.

—— Meanwhile we can recognise these approaches typically modernistic traits which are no longer valid as a basis for evaluating today's photographic processes. This schema offers, for example, no opportunity for classifying the ubiquitous contemporary forms of, say, staged photography, while documentary photography, very prevalent at the beginning of the eighties, has lost much of its formal clarity. Thus in the documentary photography of today we come across more and more artists who express doubt as to the functioning of their products: in the art world, nota bene. Use by the media had been discussed earlier, resulting in what may perhaps best be described as an autonomous documentary photography that functions only sporadically and then only under stringent conditions in a certain type of magazine. The reason for this seems to be annoyance at the autonomy of the photograph's meaning in relation to the context in which it appears. Of course, the more general acceptance of photography as an art form created the beginnings of a socio-economic climate in which such a situation was indeed possible. It also led, however, to a rigid, often extreme formalism apparently based on what Walker Evans had developed quite naturally in the 1930s, namely, a static, somewhat detached, almost stylised documentary photography. The result of this formalism was that the subject-matter of documentary photography was relegated to the background. The form became the end in itself.

—— Happily this zenith, or nadir, seems to be past, and formal principles have been brought back to a more serviceable role, based on a content that seems again to have much more to do with making a statement on the relationship with the world of today. Considering that this world differs radically from any other randomly chosen moment in history such a statement naturally enough requires another idiom, another formal vocabulary. The possibilities of achieving this, however, are limited, considering that today we still have to work with the yesterday's technology. The result is a reversion to the past, that is to say, when capturing some item of today we must make use of formal

MELTING POT

ENKELE GEDACHTEN BIJ HET THEMA VAN DE TENTOONSTELLING

Meerdere critici hebben ons in een recent verleden gewezen op de uitputting van het arsenaal aan formeel-esthetische mogelijkheden van de fotografie als chemisch-optisch medium. Anderen weer, speculeerden over de waarschijnlijk spoedige acceptatie van de klassieke fotografie als vorm van kunst in het aanbrekende tijdperk van de electronische beeldoptekening. Spoedig zou het geklungel in de donkere kamer immers het aureool van een echt ambacht verwerven. Een ambacht dat net zover van ons af zal staan als de kwast en de verf, de etstechniek of de lithografie en dat voor het grote publiek immers synoniem is met kunst.
Zo ver is het nog niet; die revolutie heeft zich nog niet voltrokken al staan we aan de vooravond.

—— Uitgangspunt voor de Fotografie Biënnale Rotterdam was het tonen van nieuwe ontwikkelingen binnen de (autonome) fotografie. Opmerkelijk is dat geen van de deelnemende auteurs electronische beeldoptekeningsmiddelen gebruikt. Hier heerst nog de chemie, al lijkt de boodschap van de door velen ondernomen zoektocht naar nieuwe betekenissen veelzeggend. In het begin van dit decennium inventariseerde de hoofdredacteur van het tijdschrift European Photography, Andreas Müller-Pohle, de stand van zaken in de (Europese) fotografie van dat moment. Het zag er allemaal zo prettig overzichtelijk uit; slechts drie hoofdstromen in de fotografie werden onderkend, t.w. de documentaire fotografie, de conceptuele fotografie en het visualisme. Al deze vormen kenden hun eigen manifest en hadden hun eigen pleitbezorgers. Ze leken de fotografiepraktijk van dat moment bovendien heel aardig te beschrijven.

—— Inmiddels herkennen we in de uitgangspunten van die benaderingen typisch modernistische trekjes en zijn ze als handvat voor de beschrijving van de fotografieproduktie van vandaag vrijwel onbruikbaar geworden. Zo biedt dit schema bijvoorbeeld geen gelegenheid tot de rubricering van de alomtegenwoordige vormen van geënsceneerde fotografie, om maar eens iets te noemen en heeft de documentaire fotografie, die begin jaren '80 nog zeer algemeen was, veel van haar (formele) helderheid verloren.
Zo komen we in de documentaire fotografie van vandaag steeds meer auteurs tegen die vraagtekens plaatsen bij het functioneren van hun produkten. Let wel: in de kunstscene! Het gebruik in de media had al eerder ter discussie gestaan en resulteerde in het ontstaan van, wat je misschien het best zou kunnen omschrijven als een autonome documentaire fotografie die nog slechts sporadisch en dan nog onder stringente voorwaarden in een beperkte categorie bladen zou functioneren. De ergernis over de afhankelijkheid van de betekenis van de foto van de context waarin zij geplaatst wordt lijkt hiervan de oorzaak. Uiteraard schiep de meer algemene acceptatie van de fotografie als vorm van kunst hiervoor (het begin van) een sociaal-economisch klimaat waarin zoiets überhaupt mogelijk was. Het leidde echter ook tot een sterk tot extreem formalisme dat gebaseerd leek op hetgeen Walker Evans geheel natuurlijk in de jaren '30 van deze eeuw had ontwikkeld; een statische, wat afstandelijke, haast gestyleerde documentaire fotografie.
Het gevolg van dit formalisme was dat hetgeen die documentaire fotografie geacht werd te documenteren naar de achtergrond verdween. De vorm werd een doel op zichzelf.

—— Gelukkig lijkt dat hoogte- c.q. dieptepunt gepasseerd en worden de formele uitgangspunten weer teruggedrongen in een meer dienstbare rol. Inhoudelijk uitganspunt daarbij lijkt weer veel meer te zijn, het doen van een uitspraak over de relatie met de wereld van vandaag. Aangezien deze wereld er heel anders uitziet dan op een willekeurig ander moment van de geschiedenis, is er voor deze uiteenzetting uiteraard ook een ander idioom, een andere vormentaal nodig. De mogelijkheden daartoe zijn echter beperkt, aangezien we vandaag nog met de techniek van gisteren moeten werken. Als gevolg daarvan moet teruggegrepen worden op het verleden, dat wil zeggen, er dient bij de vastlegging van een 'item' van vandaag gebruik gemaakt te worden van formele en conceptuele voorbeelden uit de geschiedenis van de fotografie in een weloverwogen nieuwe 'mix'. Opmerkelijk (maar begrijpelijk) daarbij is dat de kwaliteiten van, wat ik zou willen noemen, de 'naïeve' foto, na het formalistische geneuzel weer onderkend worden. De naïeve foto is het produkt van een ongecompliceerde verhouding tot de fotografie (en de werkelijkheid!); hier wordt een onderwerp nog letterlijk en met volle overtuiging 'gegrepen' waardoor het een ongekende uitdrukkingskracht kent. Denk bijvoorbeeld aan de beeldend kunstenaar die een sculptuur van eigen hand of een performance fotografeert, of aan je kleine neefje dat je camera leent in 'zomaar' een wolk vastlegt. Ongekend dramatisch zijn vaak ook de politiefoto's waarop de plaats van de misdaad even wordt geknipt. Ongeslepen diamanten zijn het.

Introduction III
Inleiding III

—— In het werk van een aantal deelnemers aan de biënnale vind ik daarvan iets terug. De blik van de beeldhouwer bijvoorbeeld in het werk van de Nederlander Rob Nypels, de spontane kwaliteit van het snapshot in het werk van de Noor Fin Serck-Hanssen maar ook in de rauwe benadering die het recente werk van de Westberlijner Michael Schmidt kenmerkt, ooit één van prominente Europese beoefenaren van het extreme documentaire formalisme waar ik zojuist nog over sprak.

—— Iets van de politiefoto duikt voor mij op in het werkstuk 'Raccourci' van de Franse gebroeders Soussan, het klassieke documentaire stilleven dat ons wijst op de esthetiek van het verval van een verlaten fabrieksruimte, vind ik terug in het werk van hun landgenoot Pascal Kern. De wens om niet in een al te individuele esthetiek te vervallen in het collectieve werk van de Tsjechen Pacina, Prekop en Stano.

—— Wat Van der Noord doet met zijn landschapsfoto's, doet Kern met zijn fabrieksinterieurs. Ook hij reconstrueert zijn ervaring volledig in de eigen studio; het resulteert bij hem in 'oversophisticated' stillevens van rotzooi die lijken te verwijzen naar de lange traditie van het fotograferen van dergelijke taferelen 'in situ'. Net als bij Van der Noord, is er bij Kern geen twijfel mogelijk omtrent het artificiële karakter van de voorstelling, de geloofwaardigheid van de mededeling wordt daardoor echter niet aangetast. De geloofwaardigheid, de authenticiteit van de ervaring in de documentaire fotografie lijkt momenteel te worden bereikt door het introduceren van een (gespeelde) naïveteit zoals ik daarnet al probeerde aan te geven in het voorbeeld van Schmidt of Fulton. Dit lijkt een reactie te zijn op het extreme formalisme in de documentaire fotografie in het eind van de jaren '70 en het begin van de jaren '80, de verlate Europese reactie op de Amerikaanse 'New Topographics'.

—— De relatie Europa-VS kan in dit verband natuurlijk niet onbesproken blijven. Welnu, ik heb sterk de indruk dat de invloed van de Verenigde Staten op de fotografie in Europa nog altijd groot te noemen is, al wordt de 'time-lag' tussen hetgeen aan weerszijden van de oceaan gebeurt kleiner. De geënsceneerde fotografie in Europa, die zoals ook weer uit deze tentoonstelling blijkt, nadrukkelijk aanwezig is, lijkt in de landen waar zij het eerst voet aan de grond kreeg, alweer op haar retour. Het uit Europese filosofen geboren Amerikaanse postmodernisme lijkt hier bovendien niet dezelfde voedingsbodem te vinden als in het land waar filmsterren het tot president brengen. Daarvoor is de mediacultuur in Europa te weinig dominant, waarschijnlijk als gevolg van het organisch protectionisme dat onze lands- maar vooral taal- en daarmee cultuurgrenzen uitoefenen. De postmodernistische kunstkritiek resulteerde hier (op een aantal prominente uitzonderingen na) vaker in een relatief directe (media)maatschappij-kritische oriëntatie van (foto-)kunstenaars (met nadruk op 'relatief' overigens). Dit in tegenstelling tot de vrijwel louter affirmatieve, ironische benadering die het werk van veel VS-collega's typeert. Denk daarbij bijvoorbeeld maar eens aan het werk van Victor Burgin of aan de sombere grootformaatwerken van de Duitse kunstenaars Astrid Klein of Rudolf Bonvie waarin een aantal onheilspellende 'iconen' verstopt zit.

and conceptual examples from the history of photography in a carefully balanced new 'mix'. Remarkably, yet quite understandably, the qualities of what I shall call the 'naive' photograph can, after all the fuss made about form, once again be discerned. The naive photograph is the product of an uncomplicated relationship with photography (and with reality!). In it a subject is literally and most convincingly 'caught', thus conveying unprecedented powers of expression. Imagine, for example, an artist who photographs one of his sculptures or a performance, or then again your young nephew who borrows your camera and in an off-hand way photographs a cloud. Often unprecedented too in their dramatic force are police photographs which briefly record the 'scene of the crime' – these are rough diamonds indeed.

—— Something of this I discern in the work of a number of participants in the Biënnale: the eye of the sculptor, for instance, in the work of the Dutchman Rob Nypels; the spontaneous quality of the snapshot in the work of the Norwegian Fin Serck-Hanssen; but equally the raw approach characterising the recent work of the West Berlin photographer Michael Schmidt, once one of several prominent European practitioners of the extreme type of documentary formalism I mentioned just now.

—— Something of the police photograph surfaces for me in the opus entitled 'Raccourci' by the Soussan brothers from France; in the work of their fellow countryman Pascal Kern I can trace the classical documentary still life revealing to us the aesthetics of decay in a derelict factory. In the collective work of the Czechs Pacina, Pekop, and Stano we see the desire to avoid slipping into a too individual aesthetics.

With the above appraisal we arrive suddenly at staged photography. This is a deliberate move, for I feel that the dividing line between 'staged' and 'documentary' on the level of content is becoming increasingly vague, and has always been so on the creative level. For how great is the difference, after all, between a documentary photographer who usually has the final image in his mind's eye before going in search of it, or the staging photographer who in all probability can also 'see' beforehand the final result of the creation he is arranging. Here I am thinking, for example, of a Dutch photographer not represented at this exhibition, Ruurd van der Noord, who attempts to render his experience of nature having in his opinion failed to capture its essence in a documentary photograph. So in the last few years he has staged small scale landscape studies that do offer him that experience. The result of his manipulations in no way conceals their artificial nature yet conveys, also to me, the desired sensation. It is interesting that Van der Noord is a great admirer of the British artist Hamish Fulton, who takes documentary photographs during the lengthy walking tours that he makes. Fulton always claims not to be a bonafide photographer but an artist, which makes for highly conventional landscape photographs whose formal aspects, because of their very general nature, tend to remain invisible to viewers. This work too, however sophisticated its execution, can to my mind be included among the best examples of 'naive photography'. Mind you, the above says nothing about the attitude of the artist or photographer himself. Both Schmidt and Fulton are certainly anything but naive; they are fully aware of what they are doing and of its effect on the viewer.

—— What Van der Noord does with his landscape photographs, Kern does with his factory interiors. He likewise reconstructs his experience entirely in his own studio; in his case the result is 'oversophisticated' still lifes of waste material that seem to refer to the long tradition of photographing such tableaus 'in situ'. Just as with Van der Noord, with Kern there is no possible doubt concerning the artificial character of the portrayal; the credibility of what is being conveyed, however, remains unimpaired. The credibility, the authenticity of the experience in documentary photography seems at present to be attained by introducing a naivity, whether affected or not, as I have just tried to point out in the example of Schmidt or Fulton. This seems to be a reaction to the extreme formalism in documentary photography around the 70s and early 80s a belated European reaction to the American 'new Topographics'.

—— The Europe-USA relationship has to be adressed in this context. Now, I for one have the strong impression that the USA still exerts great influence on European photography, although the time lag between what is happening on either side of the Atlantic Ocean is diminishing. The definite presence of staged photography in Europe, as this exhibition clearly shows, seems to be losing ground again in those countries where it first gained acceptance. Morerover, American Post Modernism, born of European philosophies, appears to have found less footing here than in the country where a film star can become president. The media culture in Europe is not dominant enough for this, probably owing to the deep-rooted protectionism practiced by European countries, mainly in the field of language, creating cultural barriers. Post-modern art criticism in Europe has led, with a few prominent exceptions, to artists, photographers included, often being geared to a relatively direct criticism of society and the media – with the accent on 'relatively' – as opposed to the almost purely affirmative, ironic approach that typifies the work of many Stateside colleagues. Just consider for a moment the work of, say, Victor Burgin, or the sombre large-format works of the German artist Astrid Klein or Rudolf Bonvie in which a number of sinister 'icons' are concealed. These are, I should add, examples of a fairly detached engagement far removed from the activism, political of otherwise that was clearly present in sixties and seventies art but above all in news photography. Worthy of note is that in the last-named category it appears to have vanished almost entirely, so that which the entire category has sunk from view.

—— It is perhaps too early to jump to such conclusions (the loss of engagement, more limited influence by the USA but at a narrowing distance, over-sophisticated staging versus calculated naivety, and so on). Possibly it is too recent, and the confusion still too great. The fact is, however, that the extremely diverse approaches displayed by the first Fotografie Biënnale Rotterdam, reveal the tremendous photographic and historical consciousness of European photography today. We, the organisors, are already looking ahead to 1990. What will it bring? Still greater confusion, or more clarity?

RUURD VAN DER NOORD
untitled, 1984

—— Voorbeelden overigens, van het tamelijk afstandelijke engagement dat ver af staat van het (politiek) activisme dat in de jaren '60 en '70 nadrukkelijk aanwezig was in de kunst maar vooral ook de reportage-fotografie. Opmerkelijk is dat het uit die laatste categorie vrijwel geheel verdwenen lijkt, waardoor de hele categorie uit beeld is geraakt.
—— Het is misschien nog te vroeg om dergelijke conclusies te trekken (verlies van engagement, geringere invloed van, maar kortere afstand tot de VS, overgesofisticeerde enscenering versus gecalculeerde naïveteit, enz.). De 'melting pot' staat daarvoor misschien nog te dicht op het vuur; de verwarring is nog te groot.
Feit is echter dat de zeer diverse benaderingen die de eerste Fotografie Biënnale Rotterdam voor het voetlicht brengt, het grote (foto-)historische bewustzijn tonen van de Europese fotografen van vandaag.
Wij, als organisatoren, kijken alweer uit naar 1990: (nog) grotere verwarring of meer helderheid...?
—— Met Soussan, Kern en het driemanschap Pacina/Prekop/Stano zijn we dan plotseling bij de geënsceneerde fotografie beland en ik doe dat bewust omdat ik het gevoel heb dat de grenzen tussen 'geënsceneerd' en 'documentair' op het inhoudelijke vlak aan het vervagen zijn, waar ze op het scheppende vlak altijd al onduidelijk waren. Want hoeveel verschil bestaat er welbeschouwd tussen de documentaire fotograaf die het uiteindelijke beeld meestal al in het hoofd heeft en daarnaar op zoek gaat, of de enscenerende fotograaf die waarschijnlijk eveneens een beeld voor ogen staat dat hij al arrangerend creëert.
Ik denk bijvoorbeeld aan de op deze tentoonstelling niet vertegenwoordigde Nederlandse fotograaf Ruurd van der Noord, die zijn ervaring van de natuur in zijn werk probeert weer te geven en er naar zijn gevoel niet in slaagde de essentie daarvan in een documentaire foto vast te leggen. Sinds een aantal jaren ensceneert hij dus op klein formaat landschappelijke situaties die hem die ervaring wèl opleveren. Het resultaat van zijn handelen verhult geenszins de artificiële aard daarvan maar brengt toch, ook op mij, de gewenste sensatie over. Aardig is dat Van der Noord een groot bewonderaar is van de Britse kunstenaar Hamish Fulton, die documentaire foto's maakt tijdens de lange wandeltochten die hij maakt. Fulton claimt altijd geen echte fotograaf te zijn maar beeldend kunstenaar, wat resulteert in uiterst conventionele landschapsfoto's waarvan de formele aspecten, door hun grote algemeenheid, voor de beschouwer praktisch wegvallen. Ook dit werk, hoe gesofisticeerd uitgevoerd ook, kan voor mij gerekend worden tot de hoogtepunten van een op de 'naïeve fotografie' gebaseerd oeuvre. Let wel, zo iets zegt niets over de houding van de kunstenaar of fotograaf zelf; zowel Schmidt als Fulton zijn naar mijn stellige overtuiging allesbehalve naïef; ze realiseren zich heel goed wat ze doen en wat voor effect dit op de beschouwer heeft.

Mariëtte Haveman

Mariëtte Haveman studeerde kunstgeschiedenis in Utrecht. Zij publiceert regelmatig in De Volkskrant en Vrij Nederland over fotografie.

Mariëtte Haveman studied art history at Utrecht. She writes regularly on photography for the newspapers De Volkskrant and Vrij Nederland.

Milestones and
TRENDSETTERS

MAJOR EXHIBITIONS IN THE HISTORY OF PHOTOGRAPHY

Introduction IV
Inleiding IV

MIJLPALEN EN SMAAKVERSTUIVERS.
GROTE TENTOONSTELLINGEN IN DE GESCHIEDENIS VAN DE FOTOGRAFIE

'De artistieke werken op de tentoonstelling 'Blow-Up Zeitgeschichte' documenteren de geestelijke soevereiniteit van de kunstenaar in een door massamedia en bewustzijnsindustrie doortrokken tijd, zij vormen een seismografische neerslag van de ontwikkelingen van kunst en samenleving, zij zijn een spiegel van ons tijdperk'.
Deze uitspraak, geciteerd uit een recente tentoonstellingscatalogus[1], is niet alleen het vaste beleefdheidssaluut dat elk tentoonstellingsvoorwoord begeleidt. Het is een uitspraak die veel zegt over het gezelschap waar zo'n tentoonstelling zichzelf in plaatst: dat van de grootse, 'conceptuele' kunsttentoonstellingen.
—— Zulke tentoonstellingen zijn niet zozeer een neerslag van de tijdgeest; ze zijn de tijdgeest, voorzover die geest iets is. Ze drukken een stempel op de kunst van hun tijd eerder dan er een objectieve neerslag van te vormen en ook drukken ze – mits succesvol – een stempel op de geschiedschrijving. Het zijn mijlpalen die hun eigen geschiedenis schrijven.
Ook de fotografie kent zulke mijlpalen. 'Film und Foto' (Fifo), de 'Subjektive Fotografie', de 'Family of Man' en 'Mirrors and Windows' zijn evidente kandidaten. Voor onze eigen tijd, waarin de grote fotografietentoonstellingen elkaar in hoog tempo opvolgen is het moeilijker een kandidaat aan te wijzen, maar ik denk dat de relatief kleine tentoonstelling 'Pictures' van Douglas Crimp in de New Yorkse Artist's Space eerder in aanmerking komt dan de grote, dure 'Blow-Up Zeitgeschichte'.
Tentoonstellingen zijn natuurlijk niet de enige vorm waarin de 'autonome' kunst zich manifesteert. Ook boeken en tijdschriften spelen een rol, zeker in de fotografie. Maar tentoonstellingen van het genoemde spraakmakende type hebben, juist in hun seismografische verbondenheid met 'de tijdgeest', hun quasi objectiviteit, iets dat het effect van andere presentaties te boven gaat. Zij zijn de motor waar de autonome kunst op draait: de plaats waar historische overzichten (zoals Beaumont Newhall's 'History of Photography') hun eerste beslag kunnen vinden, waar jong talent wordt geïntroduceerd en oude meesters worden gecanoniseerd, en waar periodes en stromingen worden bezegeld. Het is dan ook van het begin af hèt middel geweest waarbinnen fotografen de vrije beoefening van hun vak een vorm probeerden te geven. Alfred Lichtwarks eerste jaarlijkse tentoonstelling in 1893 in het Hamburgse Museum für Kunst und Gewerbe van meer dan zesduizend foto-amateurs, was zuiver bedoeld als demonstratie van een ruime visie, 'A clear indication of the organizer's intention to create a far-reaching social ripple effect'.[2]
Ondanks dat werden de jaarlijkse opvolgers van deze tentoonstelling steeds exclusiever, tot het 'highly exclusive events' waren geworden. Het lijkt alsof tentoonstellingen vanzelf de neiging hebben om zich tot autoritaire, normatieve instanties te vervormen.
Wat echter opvalt is dat dat niet voor elke tentoonstelling in dezelfde mate geldt, zodat je je kunt afvragen wat de ene tentoonstelling 'normatief' maakt en de andere niet.
—— De eerste vereiste is natuurlijk kwaliteit. Van het getoonde werk en van de samenstelling. Daar valt weinig over te zeggen, behalve dat het buiten kijf staat in tentoonstellingen als 'Fifo' en 'The Family of Man'.

—— 'The works of art in the exhibition 'Blow-Up Zeitgeschichte' document the spiritual sovereignty of the artist in an age steeped in mass media and the consciousness industry, they have a seismographic effect in relation to art and society, they are a mirror of our times.' This statement from a recent exhibition catalogue[1] is not only the the kind of stock complimentary accolade that accompanies every foreword to an exhibition. It is a statement that says a great deal about the company that such an exhibition places itself in: that of grandiose, 'conceptual' art exhibitions. These kinds of exhibitons are not so much a reflection of the spirit of the times; they are that spirit, in so far as there is such a thing. They leave a mark on the art of their time rather than form an objective account of it, and, provided they are a success, they also leave a mark on history. They are milestones that define their own history.
Such milestones also occur in photography. 'Film und Foto' (Fifo), 'Subjektive Fotografie', 'The Family of Man' and 'Mirrors and Windows' are obvious examples. In our own time, when major photography exhibitions succeed one another at a high rate, it is more difficult to point to examples, but I think that Douglas Crimp's relatively small exhibition 'Pictures' at Artists Space in New York City is more eligible than the big, expensive 'Blow-Up Zeitgeschichte'.
Exhibitions are of course not the only form in which 'autonomous' art appears. Books and magazines also play a role, certainly in photography. But the type of trendsetting exhibitions that I have mentioned, precisely because of their seismographic relation to 'the spirit of the times' and their quasi-objectivity, have something that surpasses the effect of other forms of presentation. They are the motor that turns the wheels of autonomous art, the place where historical surveys (such as Beaumont Newhall's 'History of Photography') can first be clinched, where young talent is introduced and old masters are canonised, and where periods and movements are cemented. Since the very beginning it has also been the main channel through which photographers have promoted the legitimacy of the free practice of their profession. Alfred Lichtwark's first annual exhibition in 1893 in the Museum für Kunst und Gewerbe in Hamburg of more than six thousand amateur photographers was intended purely and simply as a demonstration of a broad vision, 'a clear indication of the organiser's intention to create a far-reaching social ripple effect'.[2] In spite of this, the annual successors to this exhibition were to become more and more exclusive. It seems as though exhibitions by their very nature have the tendency to transform themselves into authoritarian, standard-setting bodies. What is striking, however, is that this does not count in the same degree for every exhibition, and so one may wonder what makes one exhibition 'standard-setting' and the other not.
—— The first requirement is of course quality, both of the work exhibited and the selection. Little needs to be said about this, except that it is beyond dispute in such exhibitions as 'Fifo' and 'The

Family of Man'. But quality is also to be found in other exhibitions, which may not have gained such a favoured place in history. The size of exhibitions also plays a role of course. 'The Family of Man', the prototype in this area, contained five hundred and three photos, assembled from a pre-selection numbering a hundred thousand photos, but a similar case could be made for the exhibition 'American Images, photography 1945-1980' shown three years ago at the Barbican Art Gallery in London. Yet the first was trendsetting, and the second not.

A third factor to be considered is timing. The importance of this was clearly illustrated in The Netherlands with the exhibitions of staged photography, beginning with 'Staged Photo Events' (1982), followed by 'Het Stilleven in de Fotografie' (1984) and 'Fotografia Buffa' (1987). Although the first two showed an international selection of work that had not yet been exhibited on this scale, in a setting that for the time was quite unorthodox, featuring semi-sculpted plastic panels, Viennese waltzes from loudspeakers and attention-catching frames, they passed by almost silently. The comparatively pale and banal, honest and museum-like 'Fotografia Buffa' was celebrated at length in the Dutch press as something utterly new and controversial. Judging by the amount of publicity, it is not always an advantage to be ahead of one's time. Milestones seldom stand right at the beginning of a development in art, for reasons which are understandable: in order to 'take root' an exhibition must to a certain extent be classifiable.

—— It seems as though a genuine milestone exhibition is a matter of a fairly tricky combination of factors some of which weigh more heavily than others: a formula in which quality, proportions, coherence, presentation and timing all play a part. None of these elements can be left out completely, yet none of them in itself is a guarantee of success.

The best way, of course, of demonstrating this formula would be to reconstruct a number of these prototypical trendsetter exhibitions in specially evacuated harbour sheds. It would then become clear to what extent such exhibitions also respond to a mutual historical dynamism of their own. One exhibition 'causes' as it were the next one: the idealization of the skyscraper is followed by the adoration of organic form, a journalistic, narrative exhibition is followed by a carefully considered selection of artistic photos, etc. etc. What we would also see demonstrated is the well-known principle (which is not just restricted to art) of the 'swing of the pendulum': the human tendency to seek connections with tradition by skipping a previous generation. Steichen's 'The Family of Man', in the way it was set up and designed (by Herbert Bayer), in its affinity with mass media and its notion of photography as a universal language, is closer to the New Photography of the Thirties than to the precious, expressionist, and individualistic 'Subjektive Fotografie' of the Fifties. John Szarkowski's sensational 'Mirrors and Windows' (1978) partially represented in its turn a rehabilitation of the older notion of Otto Steinert that art (and therefore art photography as well) is always in the last analysis self-expression.

—— The origin of this process can be seen very clearly at the very beginnings of photography, when the medium was still relatively young. The Paris 'Exposition Universelle' of 1855 provided the impulse for important developments, not only in terms of technique but also as regards art photography. Even though photography was classified in the exhibition under the section devoted

Maar kwaliteit vind je ook in andere tentoonstellingen, die desondanks een minder uitverkoren plaats in de geschiedenis hebben gekregen. Uiteraard speelt ook afmeting een rol. 'The Family of Man', het prototype op dit terrein, omvatte vijfhonderd en drie foto's, samengesteld uit een voorselectie van honderdduizend foto's, maar iets dergelijks kan gezegd worden van de tentoonstelling 'American Images, photography 1945-1980', die drie jaar geleden te zien was in de Londense Barbican Art Gallery. Toch was de eerste spraakmakend en de tweede niet.

Een derde factor die meespeelt is timing. Het belang daarvan vond in Nederland een duidelijke illustratie in de tentoonstellingen van geënsceneerde fotografie, respectievelijk 'Staged Photo Events' (1982), 'Het Stilleven in de fotografie' (1984) en 'Fotografia Buffa' (1987). Hoewel de eerste twee een internationale keus lieten zien van werk dat in Europa nog niet op deze schaal was vertoond, in een toen nog onorthodoxe setting van quasi-geheeldhouwde kunststof panelen, Weense walsen uit luidsprekers en om de aandacht strijdende lijsten, zijn ze bijna geruisloos gepasseerd. Het hierbij vergeleken bleke en belegen, brave en museale 'Fotografia Buffa' werd in de Nederlandse pers breed uitgemeten als iets heel nieuws en controversieels. Helemaal voorop lopen is niet altijd een voordeel, gemeten met publicitaire maten. Mijlpalen staan om begrijpelijke redenen zelden helemaal aan het begin van een ontwikkeling in de kunst; om 'aan te slaan' moet een tentoonstelling tot op zekere hoogte herkenbaar zijn.

—— Het lijkt alsof het bij een werkelijke 'mijlpaaltentoonstelling' gaat om een nauw luisterende combinatie van factoren met verschillend gewicht: een formule waarin kwaliteit, afmeting, coherentie, presentatie en timing meespelen. Geen van deze elementen kan helemaal gemist worden en tegelijk is geen van deze elementen op zichzelf een garantie voor succes. Het mooist zou het natuurlijk zijn wanneer je een aantal van dat soort tentoonstellingen zou kunnen reconstrueren in speciaal voor dat doel ontruimde havenloodsen. Dan zou duidelijk worden hoezeer zulke tentoonstellingen ook aan een onderlinge historische dynamiek beantwoorden. De ene tentoonstelling 'veroorzaakt' als het ware de volgende: op de verheerlijking van de wolkenkrabber volgt de aanbidding van de organisshe vorm; een journalistieke, verhalende tentoonstelling wordt gevolgd door een afgewogen keuze van artistieke foto's. Wat daarbij gedemonstreerd zou worden is het (niet alleen in de kunst) bekende principe van de 'swing of the pendulum': de menselijke neiging, aansluiting te zoeken bij de traditie door retrospectief een generatie over te slaan. Steichens 'Family of Man' staat in opzet en vormgeving (door Herbert Bayer) in haar affiniteit met massamedia en opvatting van de fotografie als universele taal dichter bij de Nieuwe Fotografie uit de jaren dertig, dan bij de – precieuze, expressionistische, individualistische – 'Subjektive Fotografie' uit de jaren vijftig. John Szarkowski's geruchtmakende 'Mirrors and Windows' (1978) vertegenwoordigt op zijn beurt een gedeeltelijk eerherstel voor de oudere opvatting van Otto Steinert, dat kunst (dus ook kunstfotografie) in laatste instantie altijd zelfexpressie is.

—— Dit proces is in de fotografie van het begin af aan goed zichtbaar, omdat het hier nog betrekkelijk jong is. De Parijse 'Exposition Universelle' in 1855 was een aanzet tot belangrijke ontwikkelingen, niet alleen in de techniek maar ook in de kunstfotografie. Ook al was fotografie op die tentoonstelling ondergebracht in divisie I ('produits d'industrie') en niet in II ('oeuvres d'art'), toch vormde het een model voor latere fotografietentoonstellingen, waar ook 'Film und Foto' nog een voorbeeld van is. Bovendien was het een aanleiding voor amateurs om zich op te werpen als verdedigers van de artistieke fotografie.[3] Het eerste gevolg daarvan was rond de eeuwwisseling de instelling van gejureerde jaarlijkse fotosalons, waarin elite-amateurs zich van de gewone snapshooters konden onderscheiden. Die salons leidden op hun beurt tot 'fotosecessions', fotografenkunstkringen die zich wilden distantiëren van de hoofdmoot der elite-amateurs. Het principe van onderlinge wedijver was daarmee gevestigd.

In de tentoonstelling 'Film und Foto' in 1929, de eerste werkelijk spraakmakende tentoonstelling van fotografie-als-kunst, is de spanning tussen de fotografie als universele taal en de fotografie als kunstzinnig medium met een eigen esthetiek er nog steeds, maar vergeleken met oudere semi-industriële tentoonstellingen is de prioriteit subtiel verschoven. Hoewel het universele en de tijdgeest in alle toonaarden worden bezongen, niet anders dan op de democratische wereldtentoonstelling, gaat het in feite om een exclusieve, stilistisch scherp afgebakende en in veel opzichten esoterische kunsttentoonstelling. 'Film und Foto' is bij uitstek representatief voor het soort tentoonstelling dat hier aan de orde is. Dat wordt vooral duidelijk wanneer je deze tentoonstelling vergelijkt met de talrijke Duitse fototentoonstellingen in de jaren dertig waar 'Fifo' min of meer de bekroning van vormt.[4]

Hoewel ook 'Fifo' door haar organisatoren en door veel geschiedschrijvers wordt afgeschilderd als 'iets heel nieuws en controversieels', was ook deze tentoonstelling dat maar in beperkte mate. De grond was geprepareerd door een reeks eerdere tentoonstellingen met een vergelijkbare opzet. Een voorbeeld was de 'Kino und Photoausstellung' in 1925 in Berlijn; een ander de 'Deutsche Photographische Ausstellung' in 1926 in Frankfurt en een derde de tentoonstelling in 1928 in de Kunstverein in Jena. De eerste twee waren georganiseerd naar het traditionele wereldtentoonstellingsrecept van verschillende rubrieken, waaronder reclame, reproduktietechniek, amateurfotografie, wetenschappelijke fotografie en kunst. Beide toonden werk dat ook op 'Film und Foto' te zien was in de stijl van de Nieuwe Objectiviteit, maar de algehele samenstelling van die andere tentoonstellingen was democratisch en minder stijlvast. Naast Moholy-Nagy was er werk te zien, gemaakt in de toen ouderwetse 'schilderachtige stijl' van de vroege Stieglitz, door Moholy-Nagy beschouwd als de grootste dwaling, waar een fotograaf zich toe kon laten verleiden.

—— De meest opmerkelijke voorloper van 'Fifo' was de tentoonstelling van de Kunstverein in Jena (1928) en wel vanwege de opzet: 'Die visuellen Dokumente der Industrie werden entfunktionalisiert in einem unter gestalterischen Aspekten organisierten Betrachtungsrahmen'; met andere woorden, de foto's werden, ongeacht hun oorspronkelijke toepassing, als kunstzinnige produkten getoond. Dat 'Fifo' en niet Jena uiteindelijk met de eer van historische mijlpaal ging strijken is in de eerste plaats een gevolg van de bescheiden opzet van de tweede. Jena toonde werk van acht fotografen tegenover tweehonderdachttien op 'Fifo'. Hetzelfde geldt voor een vierde vergelijkbare tentoonstelling, 'Fotografie der Gegenwart', die drie maanden vóór 'Film und Foto' in Essen werd geopend. Daar spreekt de bescheidenheid ook uit de inleiding in de catalogus: 'Es ist aber durchaus noch kein einheitliches Bild, das sich hier bietet, es sind vielmehr mehrere nebeneinander herläufende Strömungen zu beachten'.

'Film und Foto' daarentegen presenteerde zich wel degelijk als een 'einheitliches Bild' en wel als de neerslag van de tijdgeest naar de interpretatie van Moholy-Nagy: "Het samenspel van verschillende factoren heeft ons tijdperk onmerkbaar doen verschuiven in de richting van kleurloosheid en grijs: het grijs van de grote stad, van de zwart-witte kranten, van de fotografie en de film; het kleur-eliminerende tempo van het moderne leven. Constante haast, snelle beweging doen alle kleuren tot grijs versmelten...[5] – waarmee de fotografie, speciaal die van 'Film und Foto', bij uitstek werd tot de kunst van de 'Gestaltung der eigenen Zeit mit zeitgenössischen Mitteln'.

—— Vooral de manier waarop de tentoonstelling deze opvatting adstrueerde, de vernuftige combinatie van esthetiek en didactiek die daarbij te pas kwam, is er één die je zonder uitzondering in alle mijlpaaltentoonstellingen tegenkomt: een samenhangende collectie foto's, gepresenteerd als demonstratie van een opvatting over 'de eigen tijd'. Vaak ligt er een semi-filosofische (of semipolitieke) esthetiek aan ten grondslag, die op zichzelf niet al te veel om het lijf hoeft te hebben: een paar catchwords voldoen, ontleend aan een min of meer eigentijdse filosofische stroming, uiteengezet in een kort inleidend essay in de catalogus. Over die theorieën kan met een enkele uitzondering gezegd worden wat Andreas Haus schreef over die van de Nieuwe Objectiviteit: 'Hun moderniteit bestond minder uit hun zuivere inhoud dan uit hun nieuwe waardering en instrumentalisering van zo'n inhoud. Als daarbij naar voren komt dat de individuele kunstzinnige produktie zelf meer vernieuwingspotentieel inhield dan de ideologisch meestal zwaar overbelaste kunsttheorieën, zou de kunstenaar daarmee geen slechte dienst zijn bewezen'.[6]

to 'industrial products' and not under 'works of art', it nevertheless created a model for later photographic exhibitions, such as 'Film und Foto'. In addition it provided the occasion for amateurs to set themselves up as defenders of artistic photography.[3] The first result of this was the initiation around the turn of the century of annual juried photography salons in which the elite of the amateurs could distinguish themselves from ordinary snapshooters. These salons led in turn to 'photo secessions', groupings of art photographers who wished to distance themselves from the amateur mainstream. The principle of action and reaction in competition and the setting of standards became established.

In the exhibition 'Film und Foto' (Fifo) in 1929, the first really influential exhibition of photography as art, the tension between photography as a universal language and photography as an artistic medium with its own aesthetic is still present, but compared wih earlier semi-industrial exhibitions there was a subtle shift of priority. Although the universal and the spirit of the age were enthousiastically celebrated, no differently than at the democratic world exhibition, it was in fact an exclusive, stylistically sharply defined and in many respects esoteric art exhibition. 'Fifo' is a perfect example of the sort of exhibition we are concerned with here. This becomes especially clear if one compares it with the numerous German photo exhibitions during the Twenties, of which 'Fifo' was more or less the culmination.[4]

While 'Fifo' was depicted by its organisers and by many historians as 'something really new and controversial', this was only true to a limited extent. The ground had been prepared by a series of earlier exhibitions of comparable design. One example was the 'Kino und Photoausstellung' in Berlin in 1925; another the 'Deutsche Photographische Ausstellung' in Frankfurt in 1926, and thirdly the exhibition in 1928 in the Kunstverein in Jena. The first two were organised according to the traditional world exhibition formula of various sections, including advertising, reproduction techniques, amateur photography, scientific photography and art. Both showed work in the style of the New Objectivity which was also included in 'Fifo', but in general these other exhibitons were more democratically selected and less fixed in terms of style. In addition to Moholy-Nagy, work was shown that had been made in what was then the oldfashioned 'painterly style' of the early Stieglitz, regarded by the same Moholy-Nagy as the greatest mistake which a photographer could be tempted into making.

—— The most notable predecessor of 'Fifo' was the 1928 exhibition at the Jena Kunstverein, particularly in view of its intention: 'Visual documents of industry are to be defunctionalised and considered in terms of their formal aspects' - in other words, here too the photographs were presented as artistic products, regardless of their original function.

It was probably due to its modesty of scale that it was 'Fifo' and not Jena that eventually gained the honour of a historic milestone. Jena showed work by eight photographers as opposed to the two hundred and eighteen in 'Fifo'. Apart from smallness of scale, too much conceptual modesty can be equally detrimental to a historic role as was shown by a fourth comparable exhibition, 'Fotografie der Gegenwart', which opened in Essen three months before 'Fifo'. Its unassuming character is evident in the introduction to the catalogue: 'What is offered here is not by any means a unified picture, but rather several streams running next to each other.'

'Fifo', on the other hand, certainly did present itself as a unified picture, and moreover as the reflection of the spirit of the times, viewed through the spectacles of Moholy-Nagy: 'The interplay of different factors has caused our age to shift imperceptibly in the direction of colourlessness and greyness: the greyness of the big city, of the black and white newspapers, of photography and film; the colour eliminating tempo of modern life. Constant haste, swift movements make all colours merge into grey...'[5]. Consequently, photography, especially that shown at 'Fifo', was to be seen as the paramount form of art that could embody modern times, using contemporary means.

—— The particular way in which the exhibition supported this view, the ingenious combination of aesthetics and didactics that it involved, is something that one encounters with all milestone exhibitions: a cohesive collection of photographs, presented as a demonstration of a fixed and firm opinion about 'modern times'. Frequently this is based on a semi-philosophical (or semi-political) aesthetic, which in itself doesn't have to amount to very much: a few catchwords often suffice, preferably derived from some more or less contemporary philosophical trend, explained in a short introductory catalogue essay.

What Andreas Haus wrote about the philosophical foundations of the New Objectivity can apply to these theories in general: 'their modernity consisted less in the pure contents of their works than in their new appreciation and instrumentalization of such contents. When in addition it emerges that individual artistic production itself contained more potential for renewal than the ideologically heavily overburdened theories of art, then this would simply be to the artist's advantage.'[6] Exactly the same can be said about the exhibitions of 'Subjektive Fotografie' organised by Otto Steinert in the Fifties, as a post-war reaction against the New Objectivity. Like 'Fifo', 'Subjektive Fotografie I' was prepared for in other exhibitons, and, like Moholy-Nagy and his supporters, Steinert & co were rather eclectic in terms of the body of ideas with which they welded together the spirit of the times and subjective photography. Their sources varied from Gestalt psychology ('significant form'), existentialism ('a phenomenology of the 'act of choosing')[7], the aesthetics of modern art (originality, expression) up to and including modern science ('luminograms', 'psychograms'). It is not surprising that the Subjectivists were particularly fond of the concept of 'synthesis'.

—— As generous in theory as subjective photography was (in Steinert's words: 'an umbrella concept covering all areas of personal photographic creation, from the abstract photogram to the psychologically profound and visually composed reportage.'), in practice the three exhibitions that he designed under this umbrella concept were just as cohesive, narrowly defined and didactically intended as 'Fifo'. Not only did they display a notable tendency towards the organic and landscape themes, but they were also grouped regardless of anything but purely formal affinities: the message that Steinert and his partner Schmoll (also called Eisenwerth) kept repeating was that form precedes contents. Steinert even adopted a hierarchy of photographic genres, in which abstract photography counted as the most advanced.

One lesson that Steinert had learned from the example of the New Objectivity was that a dominant style, even a subjective one, is doomed to pass. By means of revised versions ('Subjektive Fotografie II' in 1952 and 'Subjektive Fotografie III' in 1958) he endeavoured to maintain the attention and to consolidate his style, but this only met with partial success. The problem was that 'Subjektive Fotografie', like any art movement, eventually succumbed to its own popularity. 'The whole world is busy with the subjective, and stucturitis has broken out all over the place', Otto Toussaint once said in a conversation with Steinert.[8] What was initially billed as an atom bomb in the dung-hill of photography had by 1958 sadly become a 'formulaic pictorialism of modernist pretentions'.[9]

—— What these two exhibitions, 'Film und Foto' and 'Subjektive Fotografie', illustrate above all is that milestone exhibitions frequently effect closures rather than openings. European Subjektive Fotografie had its American counterpart in the concept of the 'Equivalent' which was first introduced by Stieglitz during the Thirties and later elaborated by Minor White.[10]

Dit alles geldt in precies dezelfde mate voor de tentoonstellingen van 'Subjektive Fotografie', die Otto Steinert in de jaren vijftig organiseerde als na-oorlogse reactie op de Nieuwe Objectiviteit. Net als 'Fifo' was de 'Subjektive Fotografie I' voorbereid in andere tentoonstellingen en net als Moholy en zijn geestverwanten waren Steinert c.s. nogal eclectisch in het ideeën-goed, waarmee zij de tijdgeest en de subjectieve fotografie aaneensmeedden. Bij hen varieerden de bronnen van de Gestaltpsychologie ('significante vorm'), het existentialisme ('een fenomenologie van de daad van de keus')[7], de esthetiek van de moderne kunst (originaliteit, expressie) tot en met de moderne wetenschap ('luminogram', 'psychogram'). Niet voor niets was het begrip 'synthese' bij de Subjektiven opvallend geliefd. Zo genereus als de 'Subjektive Fotografie' in theorie was (Steinert: 'Een overkoepelend concept dat alle gebieden van persoonlijke fotografische creatie omvat, van het abstracte fotogram tot de psychologische diepzinnige en visueel gecomponeerde reportage'), zo samenhangend en didactisch van opzet waren in de praktijk de drie tentoonstellingen die hij in dienst van dit overkoepelende concept ontwierp. Niet alleen vertonen ze een opvallende tendens naar het organische en landschappelijke, ook werden ze door Steinert zorgvuldig gegroepeerd naar puur formele overeenkomsten: vorm gaat vóór inhoud was de boodschap die Steinert en zijn compagnon Schmoll (ook genoemd Eisenwerth) vaak herhaalden. Steinert legde zelfs een hiërarchie van fotografische genres aan, waarin de abstracte fotografie als het meest geavanceerd gold.

Een les die Steinert uit het voorbeeld van de Nieuwe Objectiviteit had geleerd was dat een overheersende stijl, zelfs een subjectieve, gedoemd is te verdwijnen. Door middel van herhalingsoefeningen ('Subjektive Fotografie II' in 1952 en 'Subjektive Fotografie III' in 1958) trachtte hij de aandacht vast te houden en zijn stijl te consolideren, wat maar ten dele lukte. Het probleem was dat de subjective fotografie, zoals elke stroming in de kunst, uiteindelijk aan zijn eigen populariteit ten onder ging. 'De hele wereld is bezig met het subjectieve en de strukturitis is alom uitgebroken', zei Otto Toussaint in een gesprek met Steinert.[8] Wat eerst werd beschouwd als een atoombom in de mesthoop van de fotografie was in 1958 geworden tot een 'formulaic pictorialism of modernist pretentions'.[9]

—— Wat deze twee tentoonstellingsprojecten, 'Film und Foto' en 'Subjektive Fotografie' vooral illustreren is dat mijlpaal- tentoonstellingen vaak eerder een bezegelend dan een introducerend karakter hebben. De Europese 'Subjektive Fotografie' had een Amerikaans equivalent met een geschiedenis die teruggaat tot de jaren dertig: het door Stieglitz geïntroduceerde en door Minor White uitgewerkte begrip 'Equivalent'.[10]

Wat betreft de introductie en bezegeling van stijlen wordt de geschiedenis van de moderne fotografie bepaald door een wisselwerking tusen Amerika en Duitsland, waarbij het vooral tussen de jaren dertig en vijftig niet altijd duidelijk was wie waarin voorop liep. Zeker is dat het New Yorkse Museum of Modern Art van de jaren dertig tot nu toe een bepalende invloed heeft gehad. Wat daar vooral tot uitdrukking komt is de invloed die individuen op die geschiedenis hebben uitgeoefend, in de gedaante van Beaumont Newhall, Edward Steichen en John Szarkowski.

Het spreekt vanzelf dat ook hun opvattingen voornamelijk tot uitdrukking kwamen in tentoonstellingen. Newhalls tentoonstelling 'Photography, 1839-1937' was op traditionele wijze geordend naar technische processen en hun toepassingen, maar het introducerende essay gaf uitdrukking aan een esthetisch eerder dan functioneel uitgangspunt in de behandeling van de techniek. Ook Newhall beoordeelde foto's niet in de eerste plaats naar wat ze te zeggen hadden, maar naar 'de herkenning van het significante detail en de compositorische verdeling van toonwaarden'; de 'personal expressions of their maker's emotions'.[11] Hoewel zijn tentoonstelling niet spraakmakend was zoals 'Fifo' en de 'Subjektive', legde hij er de basis mee voor een autonome esthetica en een canon, waar zijn nog steeds veelgelezen 'History of Photography' de bestendiging van vormt.

—— In tegenstelling tot Beaumont Newhalls ietwat terughoudende en traditionele tentoonstellingen wekten die van zijn opvolger Edward Steichen wèl veel opzien. De 'Family of Man' was de meest bezochte en meest omstreden fototentoonstelling uit de geschiedenis. Dat was ten dele een gevolg van de publicitaire flair, waarmee de tentoonstelling was opgezet en voor een belangrijk deel ook van – alweer – een gelukkige timing. The 'Family of Man' (1955) kwam niet alleen op een moment toen zelfs het kunstfotografie-liefhebbende publiek al een beetje genoeg begon te krijgen van boomstronken en andere eloquente details, ook was hij het sluitstuk van een zorgvuldig geplande reeks tentoonstellingen voor propagandistische doeleinden, zoals 'Road to Victory' in 1942, 'Power in the Pacific' in 1945 en 'Korea: the Impact of War' in 1951.

Introduction IV
Inleiding IV

Een derde en de belangrijkste reden voor het succes van 'The Family of Man' was de uitzonderlijke toegankelijke aanspreekvorm. Steichens tentoonstellingen, 'The Family of Man' incluis leken nog het meest op driedimensionale tijdschriften of reusachtige foto-essays: 'emotional immediacy', 'graphic inventiveness' en 'avoidance of difficulty'[11] waren de kenmerken die hij tegenover de luminogrammen stelde en waar hij veel succes en kritiek mee oogstte. De filosofie waarmee hij zijn tentoonstellingen motiveerde was navenant onomwonden en onsubtiel. Over 'The Family of Man' zei hij: 'What was needed was a positive statement on what a wonderful thing life was, how marvelous people were, and, above all how alike people were in all parts of the world'.[12]

Wat 'The Family of Man' meer dan enige andere tentoonstelling illustreert is het belang dat een begeleidend boek kan hebben in het voortbestaan van een tentoonstelling. Zoals al mijn generatiegenoten baseer ik mijn kennis van deze tentoonstelling op het boek en op beschrijvingen van hoe het eruit zag: 'Voorbij scènes van liefde en hofmakerij werd het oog gevangen door beelden van arbeid – links vooral vrouwen en rechts vooral mannen – terwijl in het midden, omgeven door een rand van witte kiezels, de familieportretten waren, die de kern van de tentoonstelling vormden. De achtergrond werd gedomineerd door Ansel Adams's 'Mount Williamson', van vloer tot plafond als een representatie van de natuurlijke wereld'.[13]

De hele wereld, uitgedrukt in opgewekte foto's en cirkelend rond de 'nuclear family': eenvoudiger en tegelijk omvattender kan een 'concept' moeilijk zijn.

Tegenover Steichens groots opgezette, populaire tentoonstellingen, waren (en zijn) die van zijn opvolger John Szarkowski uitermate bescheiden. De door hem getoonde foto's hangen meestal nadrukkelijk 'in splendid isolation', achter glas en in discrete lijsten. Zijn eerste tentoonstelling in het Museum of Modern Art droeg de in zijn bescheidenheid uitdagende titel 'Five Unrelated Photographers'.

Net als Beaumont Newhall in de jaren dertig, maar in tegenstelling tot Steichen in de jaren vijftig, definieert hij het oeuvre van een fotograaf als een voortdurende zoektocht naar de beste foto. Szarkowski zet zich ook af tegen het idee van Steinert, dat pure vorm bepalend is voor kwaliteit; de kwaliteit van de beste foto's van een fotograaf wordt mede bepaald door het inhoudelijke probleem dat die zich gesteld heeft. Tegelijk heeft de fotografie-als-kunst in zijn optiek een autonome evolutionaire geschiedenis, die in twee stromen onderverdeeld kan worden: in 'mirrors' en in 'windows', analoog aan de titel van zijn meest spraakmakende tentoonstelling. Foto's die verslag leggen van de buitenwereld en foto's die verslag leggen van de binnenwereld, daar komt het simpel gezegd op neer.

Het is nooit goed of het deugt niet en vooral hierin komt het probleem tot uitdrukking, waar de fotografie-als-kunst tentoonstellingen van het begin af mee worstelden. Werd Steichens 'Family' bekritiseerd als populistisch en beschuldigd van het geven van een vals, hypocriet realiteitsbeeld, Szarkowski treft de tegengestelde blaam. 'Mirrors and Windows' was 'a narrow, parochial presentation', een geforceerde poging tot foto-esthetica ('one bemused curator's noble attempt to make sense of American photography since 1960') en de reductie van de fotografie tot 'a set of academic principles'.[14]

Hoewel zulke verwijten niet helemaal onterecht zijn (Szarkowski heeft, net als Beaumont Newhall de neiging om zijn esthetiek retrospectief te projecteren op foto's die nooit om esthetische redenen gemaakt zijn) blijft hij de meest intelligente denker en de beste kijker onder de fotografietheoretici die ik ken. Ook onder zijn critici kom je er zelden één tegen die hem op zijn eigen niveau tegemoet treedt.

Bovendien is de esthetisering van de fotografie, zoals we zagen, maar zeer ten dele de schuld van 'Mirrors and Windows'. Daar zijn andere tentoonstellingen aan vooraf gegaan en er zijn ook andere oorzaken voor, die helder uiteen worden gezet in de catalogus bij de tentoonstelling.[15]

In terms of the opening and closure of styles the history of modern photography is largely determined by an exchange between America and Germany, and particularly during the Thirties and Fifties it was not always clear who was leading the way. One thing, however, is sure: if a determining influence from the Thirties until the present is to be located, the honour goes to the New York Museum of Modern Art (MoMA). And what is especially obvious is the influence that its successive directors have exerted on that history, in the shape of Beaumont Newhall, Edward Steichen and John Szarkowski.

It goes without saying that their views too were chiefly expressed through exhibitions. Newhall's exhibition 'Photography, 1839-1937' was arranged in the traditional manner according to technical processes and their applications, but the introductory essay expressed an aesthetic rather than functional basis for dealing with technique. Newhall too did not judge photographs primarily according to what they had to say but according to 'the recognition of the significant detail and the compositional distribution of tonal values', 'the personal expressions of their maker's emotions'.[11] Although his exhibition was not as influential as 'Fifo' and the show of Subjektive Fotografie, it did help to establish the basis for an autonomous aesthetics and a canon which are perpetuated in his still widely read 'History of Photography'.

—— In contrast to Beaumont Newhall's somewhat reticent and traditional exhibitions, those of his successor Edward Steichen did cause quite a sensation. 'The Family of Man' was the most visited and most criticized photography exhibiton in history. This was partly the result of the flair for publicity that went with the setting up of the show, and also, to an important extent, of – again – fortunate timing. By 1955, the year 'The Family of Man' opened, even the public interested in art photography was beginning to get tired of tree-stumps and other eloquent details. It was also the culmination of a carefully planned series of exhibitions intended as propaganda, such as 'Road to Victory' in 1942, 'Power in the Pacific' in 1945 and 'Korea: the Impact of War' in 1951.

But the third and most important reason for the success of 'The Family of Man' was its exceptionally accessible form of address. Steichen's exhibitions, including 'The Family of Man' were the closest approach to three-dimensional magazines or gigantic photo-essays. The qualities of 'emotional immediacy, graphic inventiveness and avoidance of difficulty'[11] were contrasted with the luminograms, and earned Steichen a great deal of success and criticism. The philosophy motivating his exhibitions was correspondingly straightforward and unsubtle. About 'The Family of Man' he wrote 'What was needed was a positive statement on what a wonderful thing life was, how marvelous people were, and, above all, how alike people were in all parts of the world.'[12]

Moreover, what 'The Family of Man' illustrates is the importance that an accompanying book can have for the continued existence of an exhibition. Like everyone of my generation I have to base my knowledge of the exhibition on the book, and on descriptions of what it looked like: 'Past scenes of love and courtship the eye is caught by images of labour – on the left mainly women and on the right mainly men – while in the middle, surrounded by a border of white gravel, were the family portraits that formed the nucleus of the exhibition. The background was dominated by Ansel Adams' 'Mount Williamson' reaching from floor to ceiling, representing the world of nature.'[13]

The entire world, expressed in cheerful photos and centering on the 'nuclear family': for a 'concept' it could hardly be more simple and at the same time more inclusive. In contrast to Steichen's mammoth, popular exhibitons, those of his successor John Szarkowski were (and are) probably the most modest of their type, with photos generally displayed in splendid isolation, behind glass and discretely framed. His first exhibition in the Museum of Modern Art bore the title, challenging in its modesty, 'Five Unrelated Photographers'.

Like Beaumont Newhall during the Thirties, but contrary to Steichen during the Fifties, Szarkowski defines a photographer's oeuvre as a continual search for the perfect photograph. Szarkowski is also opposed to Steinert's idea that pure form is determinate of quality; the quality of a photographer's best work is to a great extent determined by the problem of content he has set for himself. In Szarkowski's view, photography as art has an autonomous evolutionary history that can be subdivided into two streams: into 'Mirrors' and into 'Windows', as formulated in the title of his most talked-about exhibition. Put simply, what this comes down to is photographs that render an account of the outside and those that render an account of the inner world.

It seems as though you can't win, however, and it is here that we encounter the problem that photography-as-art exhibiitons have had to contend with from the very beginning. Whereas Steichen's 'The Family of Man' was criticised for being populist and accused of providimg a false, hypocritical picture of reality, Szarkowski encounted the opposite reproach. 'Mirrors and Windows' was 'a narrow, parochial presentation', a forced attempt at creating an aesthetics of photography ('one bemused curator's noble attempt to make sense of American photography since 1960') and the reduction of photography to 'a set of academic principles'.[14]

Although such reproaches are not entirely unjustified (like Beaumont Newhall, Szarkowski tends to project his aesthetic theories retrospectively onto photographs which were never made for aesthetic reasons), he remains the most intelligent thinker and the best viewer of all the theoreticians of photography I know. Even among his critics you rarely come across one who meets him on his own level. Moreover, as we have seen, the aestheticization of photography is only very partly the result of 'Mirrors and Windows'. There were other exhibitions that came before, and there are also other causes which are clearly explained in the catalogue to the exhibition.[15]

—— However much exhibitions like 'Film und Foto', 'Subjektive Fotografie' and 'Mirrors and Windows' may have contributed to the formation of an artistic tradition within photography, an external factor was necessary to enable photography to actually become incorporated into the official art circuit. This factor arose only when art critics began to voice opposition to the notion of originality as the basis of modern art. In the mid-Seventies critics associated with the American journal October became interested in photography because the medium presented itself as an easy illustration of the notion of anti-originality. The central terms of this notion ('mise en abyme', deconstruction, etc.) were derived from the theories of philosophers such as Jacques Derrida and Roland Barthes; views which were remarkably applicable to the work of a group of artists who had shifted from conceptual art to the use of photography and other media. Artists such as Robert Longo and Richard Prince were 'adopted' by the critics I have mentioned, and, following on a series of exhibitions in New York's Soho galleries, Douglas Crimp organised an exhibition entitled 'Pictures' at Artists Space.

—— Although perhaps in its range and immediate resonance 'Pictures' does not belong to the series of great milestones, it cannot be ignored in any consideration of the latest developments in photography-as-art. 'Pictures' occupies a special position in the series of exhibitions I have been discussing here, if only because this relatively small exhibition has turned out to have exerted considerable influence later. The first representatives of the sort of work shown there are now referred to as the 'Pictures Generation', irrespective of their actual participation in the show from which the title is derived. What this exhibition illustrates, more than any other, is that a show does not necessarily have to possess all the ingredients so far mentioned in order to qualify as a milestone. The greatest strength of 'Pictures' was its concept, which offered an indispensible theoretical basis to what has by now become two generations of photo-art or art with photography, or however you want to call it. It was thanks to 'Pictures' that photography - both that of Brassaï and Cartier Bresson as well as Robert Longo - made its entrance into trendsetting art magazines like Flash Art, Artforum and Art in America. Crimp himself provided the example by widely publicising his exhibition not

—— Hoezeer tentoonstellingen als 'Film und Foto', 'Subjektive Fotografie' en 'Mirrors and Windows' ook hebben bijgedragen in de vorming van een artistieke traditie binnen de fotografie, er was een externe factor voor nodig, die maakte dat de fotografie – tamelijk recent – werkelijk werd opgenomen in de officiële kunstkanalen. Die factor ontstond toen kunstcritici zich af gingen zetten tegen het idee van originaliteit als basis van de moderne kunst. Critici rond het Amerikaanse tijdschrift October waren halverwege de jaren zeventig geïnteresseerd geraakt in fotografie, vanwege de mogelijkheid die het medium bood als illustratie van de anti-originaliteits-gedachte. De kernbegrippen voor die gedachte ('mise en abyme', deconstructie) ontleenden ze aan de literatuurtheorie van filosofen als Jacques Derrida en Roland Barthes. Deze opvatting vond een ideale voedingsbodem in het werk van een groep kunstenaars, die van de conceptuele kunst overstapten op – onder andere – de fotografie. Deze kunstenaars – Robert Longo, Richard Prince e.a. – werden 'geadopteerd' door de genoemde critici en na een reeks tentoonstellingen in New Yorkse Soho-galeries organiseerde Douglas Crimp zijn tentoonstelling 'Pictures' in The Artist's Space. Hoewel 'Pictures' in omvang en onmiddellijke resonantie niet thuishoort in de rij grote mijlpalen, is deze tentoonstelling niet te omzeilen waar het gaat om de laatste ontwikkelingen in de fotografie-als-kunst. 'Pictures' neemt een speciale plaats in in de hier behandelde reeks tentoonstellingen, alleen al omdat deze betrekkelijk kleine tentoonstelling vooral achteraf spraakmakend is gebleken. De eerste representanten van het soort werk, dat daar werd getoond, worden nu aangeduid als de 'Pictures Generation', ongeacht hun feitelijke deelname aan de tentoonstelling waar de titel aan is ontleend. Wat deze tentoonstelling illustreert is dat een tentoonstelling niet noodzakelijk alle tot nu toe genoemde ingrediënten hoeft te hebben om als mijlpaal te kunnen gelden. De grootste kracht van 'Pictures' was het concept, dat het onontbeerlijke theoretische fundament bood aan inmiddels twee generaties fotokunst, kunst-met-fotografie of hoe je het ook wilt noemen. Dankzij 'Pictures' vond de fotografie - zowel die van Brassaï en Cartier Bresson als die van Robert Longo - ingang in de smaakbepalende kunsttijdschriften Flash Art, Artforum en Art in America. Crimp zelf gaf het voorbeeld door zijn tentoonstelling niet alleen in het exclusieve October, maar ook in het commerciële Flash Art te afficheren.

Een tweede opmerkelijke eigenschap van 'Pictures', afgezien van de geringe omvang, was dat geen van de deelnemende kunstenaars van huis uit fotograaf was. Hun gebruik van fotografie (naast andere media zoals film) had in zekere zin zelfs een negatieve reden: het ontkennen van originaliteit door een opzettelijk clichématige toepassing van een naar zijn aard clichématig medium: 'Everything in this work conspires against ever locating an origin, either within the work or exterior to it', aldus het uitgangspunt waar nu nog steeds op wordt gevarieerd in tentoonstellingscatalogi. Sherrie Levine, Troy Brauntuch, Robert Longo, Jack Goldstein en Philip Smith waren 'Picture-users rather than picture-makers'. Hun activiteiten hebben betrekking op de selectie en presentatie van beelden uit de cultuur in de ruimste zin. Maar zij keren zich tegen de standaardbetekenis en funktie van deze plaatjes, gebonden aan hun bijschriften, hun commentaren, hun narratieve sequenties...'[16], zo formuleert Douglas Crimp het, met kleine varianten in woordkeus en zinsconstructies, in verschillende artikelen en essays waarin hij zijn tentoonstelling uitlegt.

Wat nog het meest opvalt als je die artikelen leest is dat niet alleen de inhoud, maar ook de toon en de retoriek zich heeft aangepast aan de nieuwe ontwikkelingen. Waar Szarkowski zich opstelt als een bedachtzame kenner en specialist, een 'Taxonomist in an untended garden', eist Crimp een militante, elanvolle en daarmee aantrekkelijke rol op voor zijn soort fotografie en waar Szarkowski meestal kiest voor verfijning en understatement (en zich overeenkomstig uitdrukt) heeft Crimp het over 'Images from the culture at large', die door de kunstenaars kunnen worden aangesproken en tegelijk bekritiseerd. Wie zou zich niet aan willen sluiten bij zo'n veelbelovend programma?
—— De Pictures-doctrine en werkwijze kreeg op grote schaal navolging, eerst in Amerika en een paar jaar later ook in Europa. Het voorspelbare gevolg was dat niet zozeer dit uitgebreide leger van fotografie als anti-kunst de hogere kunst ondermijnde, als wel dat de fotografie (voor het eerst echt) in die traditie werd opgenomen. Het was een ontwikkeling waar Crimp eigenlijk al op anticipeerde in zijn catalogustekst voor 'Pictures', door een lineaire afstamming te traceren van minimal art via performance naar de 'strategische' toepassing van fotografie: allemaal vormen waarin de relatie tussen afbeelding en werkelijkheid op scherp wordt gesteld.
Het spreekt vanzelf dat ook de Pictures-werken aan bepaalde formele voorwaarden voldeden, die zich schijnbaar zonder uitwendige inspanning of afspraak ontwikkelden – in dit geval grote formaten, kleur, fragmentarische beelden, al dan niet gecombineerd met woorden of letters. Hoe dat proces precies in zijn werk gaat is een verhaal apart, maar het is duidelijk dat tentoonstellingen, als 'smaakverstuivers', er een niet geringe rol in spelen. De theorie, met het bijbehorende woordgebruik, wordt al gauw omgezet tot smaak (iets waar Crimp zich overigens wel van bewust was, getuige recentere artikelen). Bij de tweede Picturesgeneratie is er weinig sprake meer van een 'subversief gebruik van middelen'. De hieruit voortgekomen fotowerken zijn meer dan ooit kunst-kunst, alleen navolgbaar voor ingewijden en met tekstuele begeleiding, die niet zozeer geldt als uitleg, maar eerder als toegevoegd element, waaraan de sophistication van het getoonde werk wordt afgemeten. De tentoonstelling 'Blow-Up Zeitgeschichte', waarvan aan het begin van dit artikel sprake was, is een illustratie van die ontwikkeling. Hoewel de catalogusartikelen binnen een inmiddels wat vermoeid idioom nog sterk moralistisch gekleurd zijn, fungeren ze in feite als het soort semi-filosofische rechtvaardiging dat ook bij vroegere tentoonstellingen het vaste ingrediënt vormde. Wat er staat is sinds 1977 een catechismus geworden: het bekende recept van kunstmatigheid als strategie in de deconstructie van het simulacrum. Een kunstmatige taal die hoort bij een kunstmatig soort fotografie. Hoezeer deze recente tentoonstellingen zich ook afzetten tegen de traditie van fotografie-als-kunst, zelf bezegelen ze meer dan ooit het— voorlopig— succes van een oud streven: het uitkerven van een nis in de kunstgeschiedenis.

only in the exclusive pages of October but also in the more commercial Flash Art.
A second striking characteristic of 'Pictures', apart from its limited range, was that none of the participating artists was originally a photographer. Their use of photography (in addition to other media, such as film) had in a certain sense even a negative reason: the denial of originality through a deliberately stereotyped application of a medium that counts the cliché (negative) amongst its elementary features. 'Everything in this work conspired against ever locating an origin, either within the work or exterior to it', runs the basic principle, variations of which still appear in any number of exhibition catalogues. Douglas Crimp described Sherrie Levine, Troy Brauntuch, Robert Longo, Jack Goldstein and Philip Smith as picture-users rather than picture-makers.
'For their pictures, these artists have turned to the available images in the culture around them. But they subvert the standard signifying function of the pictures, tied to their captions, their commentaries, their narrative sequences-tied, that is, to the illusion that they are directly transparent to a signified'.[16]
Variations on this statement can be found in various articles and essays in which Crimp explained his exhibition.
What is most noticeable when you read these articles is that not only the contents, but also the tone and the rhetoric seem to have adapted themselves to the new developments, showing quite how far reaching the scope of an exhibition can be. Whereas Szarkowski presented himself as a thoughtful connoisseur and specialist, a 'taxonomist in an untended garden', Crimp claims a militant, stylish and hence glamourous role for his sort of photography, and where Szarkowski generally favours refinement and understatement (and expresses himself accordingly), Crimp talks about 'images from the culture at large' which artists can address and at the same time criticise. Who would not want to join in such a promising programme?
—— The doctrine and method of 'Pictures' was widely imitated, first in America and a few years later in Europe as well. As could be expected, the result was not so much that this expanded photographic army undermined the higher forms of art with its anti-art, as that photography (for the first time really) was incorporated into the tradition of high art. This was a development already anticipated by Crimp in his catalogue essay for 'Pictures', where he traces a linear descent from minimal art via performance to the 'strategic' use of photography, all of these being forms in which the relation between representation and reality is challenged.
Of course, the works in 'Pictures' also conformed to certain formal conditions, which appear to have evolved as a result of purely internal motivations - in this case large formats, colour, fragmentary images, sometimes combined with words or letters. How this process actually works is another story, but it is clear that trendsetting exhibitions play no small a part in it. The theory, with its matching vocabulary, is all too quickly turned into taste (this is something that Crimp in fact was well aware of, as his more recent articles testify). With the second 'Pictures generation' there is no longer much talk of a 'subversive use of means'. The new photoworks that have emerged, more than ever conform to criteria of art as Art, implying that they can only be followed by the initiated, and are accompanied by texts that qualify not so much as an explanation but rather as an added element, a measure of the sophistication of the work displayed. The exhibition 'Blow-Up Zeitgeschichte', mentioned at the beginning of this article, provides an illustration of this development. Although the catalogue articles are still strongly moralistic in tone, using an idiom that has by now become rather exhausted, they in fact function as the sort of semi-philosophical justification that was a fixed feature of earlier exhibitions. What we find written there has since 1977 become a catechism no less restrictive than that of Moholy or Otto Steinert. In this case it can be summed up in the famous recipe of artificiality as a strategy in the deconstruction of the simulacrum; an artificial language that goes with a highly artificial approach to photography. However much these recent exhibitions may represent a reaction against the tradition of photography-as-art, they themselves more than ever put the seal on the (provisional) success of an old ambition: the carving out of a niche in art history.

Noten

1. 'Blow-Up' Zeitgeschichte tent. cat. Württembergischer Kunstverein Stuttgart, Tilman Osterwold, Peter Weiermair, Klaus Honnef e.a., febr. 1987.
2. Zie 'The Myth of art photography: a Sociological Analysis' door Ulrich F. Keller, in History of Photography, Vol. 8 nr. 4, Oct Dec 1984.
3. Zie 'La Photographie Française à l'Exposition Universelle de 1855' door André Rouillé, in Le Mouvement Social, no. 131 apr./juni 1985.
4. De gedetailleerde informatie hierover ontleen ik hoofdzakelijk aan Ute Eskildsen, 'Fotokunst statt Kunstphotographie, Die Durchsetzung des fotografischen Mediums in Deutschland, 1920-1933', in: cat. tent. Württembergischer Kunstverein Stuttgart 1979. Ook: Internationale Ausstellung des D. Werkbunds Film und Foto, Stuttgart 1929.
5. Zie Patricia D. Leighten, 'Critical attitudes toward Overtly Manipulated Photography in the 20th Century I', in: Art Journal (37) 2, 1977/78; en Moholy-Nagy, Painting, Photography, Film, 1925 (Eng. vert. 1967, Cambr. Mass.) en: Herbert Molderings, 'La seconde découverte de la photographie', uit: Berlin-Paris rapports et contrasts 1900-1933 (1978).
6. Andreas Haus, Moholy-Nagy, Fotos und Fotogramme München 1978.
7. Over het verband tussen de subjectieve fotografie en het existentialisme, zie James Hugunin, 'Subjektive Fotografie and the existentialist ethic', in: Afterimage, jan. '88. Verder zie ook Subjektive Fotografie, tent. cat. Internationale Ausstellung moderner Fotografie, Saarbrücken 1951, inleiding Franz Roh, Subjektive Fotografie, images of the fifties, tent. cat. San Francisco Museum of Modern Art, 1984.
8. Zie: 'Subjektive Fotografie', Camera vol. 54 (7) 1975.
9. De formulering is afkomstig van Patricia D. Leighten, op. cit. 5.
10. Minor White's verslag van de herkomst van het begrip 'Equivalent' is ongewoon luchtig en relativerend: 'Zittend op de verwarming in een achterkamertje in The American Place, zes maanden na de tweede wereldoorlog, kwamen we te spreken over het maken (in plaats van nemen) van foto's met het Equivalent. Stieglitz zei iets over fotografie die het onzichtbare zichtbaar maakt en nog iets over ware dingen die met elkaar kunnen spreken. Zijn gepraat was zelf een soort Equivalent; dat wil zeggen, zijn woorden stonden niet in verband met de betekenis van wat hij zei'. In: Mirrors, Messages, Manifestations (monografie). Geciteerd uit Christopher Phillips, 'The Judgement Seat of Photography', in: October 22 (fall 1982). Zie ook: The Family of Man ed, Edward Steichen MoMA.
12. Uit: Edward Steichen, A Life in Photography, New York 1971.
13. Uit archiefmap Museum of Modern Art, The Family of Man, New York.
14. Diverse dag- en weekbladrecensies uit archiefmap Museum of Modern Art, New York, 'Mirrors and Windows'.
15. Mirrors and Windows, American Photography since 1960, ed. John Szarkowski, The MoMA New York 1978.
16. Pictures, tent. cat. ed Douglas Crimp, The Artists Space, New York, 1977. Zie ook (.a.) Douglas Crimp, 'Pictures', in October 1978, en 'About Pictures', in: Flash Art no: 88-89 may/apr. 1979.

Met dank aan Hans Zonnevijlle voor het verrichte literatuur- onderzoek.

Notes

1. Blow-Up Zeitgeschichte, exhibition catalogue, Württembergischer Kunstverein, Stuttgart. ed. Tilman Osterwold, Peter Weiermair, Klaus Honnef, et al., February 1987.
2. See Ulrich F. Keller, 'The Myth of Art Photography: a Sociological Analysis', in: History of Photography, Vol. 8 nr. 4, Oct-Dec 1984.
3. See André Rouillé, 'La Photographie Française à l'Exposition Universelle de 1855', in: Le Mouvement Social, nr. 131, Apr.-Jun. 1985.
4. For most of the information here I am endebted to Ute Eskilden, 'Fotokunst statt Kunstphotographie, Die Durchsetzung des fotografischen Mediums in Deutschland, 1920-1933', in: exhibition catalogue, Württembergischer Kunstverein, Stuttgart, 1979. Also, Internationale Ausstellung des Deutsche Werkbunds Film und Foto, Stuttgart, 1929.
5. See Patricia D. Leighten, 'Critical Attitudes toward Overtly Manipulated Photography in the 20th Century I', in: Art Journal (37) 2, 1977/78; and Laszlo Moholy-Nagy, Painting, Photography, Film, 1925 (English translation: Cambridge, Mass., 1967). See also Herbert Molderings, 'La seconde découverte de la photographie', in: Berlin-Paris, rapports et contrasts 1900-1933 (1978).
6. Andreas Haus, Moholy-Nagy, Fotos und Fotogramme, München 1978.
7. On the connection between Subjective Photography and Existentialism, see James Hugunin, 'Subjective Photography and the Existentialist Ethic', in: Afterimage, Jan. 1988. See also Subjektive Fotografie, exhibition catalogue, Internationale Ausstellung Moderner Fotografie, Saarbrücken 1951, introduction by Franz Roh; and Subjective Photography, images of the Fifties, exhibition catalogue, San Francisco Museum of Modern Art, 1984.
8. See 'Subjective Photography', Camera vol. 54 (7), 1975.
9. Patricia D. Leighten, op.cit. part II, Art Journal (37), nr. 4, 1978.
10. Minor White's account of the origin of the concept of 'Equivalent' is unusually jaunty and downbeat: 'Sitting on the radiator in the little back room of the American Place six months after World War II, we talked about to make photographs, spoke about the Equivalent. Stieglitz said something or other about photography that makes visible the invisible, and something else about true things being able to talk to each other. His talk itself was a kind of equivalent; that is, his words were not related to the sense he was making.' in: Mirrors, Messages, Manifestations (monograph).
11. Quoted in Christopher Phillips, 'The Judgement Seat of Photography', October 22 (Fall 1982). See also Edward Steichen ed., The Family of Man, MoMA.
12. Edward Steichen, A Life in Photography, New York 1971.
13. From the archives of the Museum of Modern Art, New York, on The Family of Man.
14. Various daily and weekly press reviews from the archive of the Museum of Modern Art, New York, on Mirrors and Windows.
15. Mirrors and Windows, American Photography since 1960, ed. John Szarkowski, The Museum of Modern Art, New York 1978.
16. Pictures, exhibition catalogue, ed. Douglas Crimp, The Artists Space, New York, 1977. See also Douglas Crimp, 'Pictures', October 1978, and 'About Pictures', Flash Art nr. 88-89, March/Apr. 1979.

With thanks to Hans Zonnevijlle for his assistence with research and references.

Georges Vercheval

Georges Vercheval is directeur van het Musée de la Photographie in Mont-sur-Marchienne (Charleroi).

Georges Vercheval is director of the Musée de la Photographie in Mont-sur-Marchienne (Charleroi).

CONTINUUM BRONNEN VAN DE BELGISCHE FOTOGRAFIE

Belgium
België

Wat verteld moet worden, dat is het leven zelf: de lange geschiedenis van de natuur, haar bruisen en haar voortdurende sterven. Wat verteld moet worden is de mens en zijn oneindig zoeken: het verhaal van zijn ontdekkingen en van zijn fouten, van zijn zekerheden en zijn vragen, van datgene wat hem drijft. De kennis, die hij heeft vergaard, die hij heeft vervat in woorden en heeft geleerd over te dragen. Het schrift. De samenlevingsvormen die hij heeft ontwikkeld. De steden en de monumenten die zijn verrezen en die zich hebben uitgestrekt over de aarde en verheven naar de hemel.

—— De kunst vertoont hiermee overeenkomsten en verschillen. Het is datgene wat moeilijk te vertellen is, maar niet verzwegen kan worden. Het is het belangrijkste wat er is, maar het blijft steken in de marge. Het dient ertoe de wereld te verbeelden, het onzichtbare te beschrijven, het onzegbare te verwoorden, de liefde te bezingen en dood, angst en pijn uit te schreeuwen. Het komt uit het diepste wezen van de mens en kan het collectief onbewuste niet ontkennen.

—— Onophoudelijk herneemt de kunst de grote thema's. Het thema van de vruchtbaarheid, dat zijn de cycladische idolen, de Venus van Lespugus. De dood kent zijn riten, bezwering van grote reizen. Nazca, Richard Long, het fotogram, zij vormen het spoor en de verscheurdheid. Ravel componeert 'Le tombeau de Couperin'. De literatuur hervindt steeds opnieuw de oude demonen.

—— Elk leven bevat alle levens die eraan vooraf zijn gegaan. De verleiding is groot, om gewapend met een vals paspoort terug te keren naar onzekere herinneringen.

De kunstenaar reist, de ogen geopend en onderweg de wezens en de beelden die deel uitmaken van zijn ontwerp oppikkend.

Hij vindt het perspectief uit. Hij ontdekt kleur, transparantie, beweging. Hij is aanwezig, in een lang verleden, bij de strijd tussen licht en donker. Het waren een Arabische wijsgeer, Leonardo da Vinci, Della Porta en anderen nog voor wie de geesten van het leven spoedig tot leven zouden komen. Hij heeft ze vastgelegd. Chemisch, boosaardig. Objectief naar hij meende.

—— De fotografie. Maar verklaringen geven waarde aan de open plekken en de nieuwe techniek, op zoek naar zichzelf, vindt de mythe terug. Veelvuldige verwijzingen, die er niet per definitie mee verbonden zijn, worden aangedragen.

—— In België, een land dat bijna even oud is als de fotografie, wordt het verleden niet bepaald door de landsgrenzen. Wij denken in het Frans. Wij denken in het Vlaams. We weten dat we Nederlands zijn geweest, Oostenrijks, Spaans, Frans en Romeins.

België, dat is Breughel, Jeroen Bosch, kermissen en slachtpartijen. Thijl Uilenspiegel en Lamme Goedzak in conflict om de vrijheid met Philips II, in de taal van Charles de Coster. Het is Hugo Claus en Pierre Mertens. Het is Marguerite Yourcenar die zichzelf projecteert op Hadrianus. (Denken aan Flaubert en aan Maxime du Camp, aan Egypte en aan Syrië, aan Rome). We gaan verder met Paul Delvaux: onwaarschijnlijke ruïnes. De mooie stationnetjes van een klein land. Bevroren gedaantes die het gevecht met de tijd definitief hebben verloren. U kent Magritte. De omkering van de dingen. De ongewone ordening. De stroperigheid van de tijd.

CONTINUUM

THE SOURCES OF BELGIAN PHOTOGRAPHY

—— What has to be told, that's life itself: the long history of nature, its seething and its continual dying. What has to be told is man and his endless searching: the story of his discoveries and of his mistakes, of his certainties and his questions, of that which spurs him on. The knowledge he has gathered, put into words, and learned to transmit. Writing. The forms of society he has developed. The cities and monuments that have arisen and sprawled across the earth, reaching to the skies.

—— Art displays similarities and differences with this. It is that which is difficult to tell, but which cannot be kept quiet. It is the most important thing there is, but it remains stuck in the margins. Its duty is to represent the world, to describe the invisible, to voice the unsayable, to sing of love and to cry out death, fear and pain. It comes out of man's deepest essence and cannot deny the collective unconscious.

—— Art ceaselessly re-assumes the great themes. The theme of fertility, as in the Cycladian idols, the Venus of Lespugus. There are the rites of death, adjuration of great journeys. Nazca, Richard Long, the photogram, these constitute the trail and the tearing apart. Ravel composes 'Le tombeau de Couperin'. Literature keeps on rediscovering the old demons.

—— Each life contains all the lives that preceded it. There is a great temptation to return, armed with a false passport, to uncertain memories.

The artist journeys, his eyes open and picking up on the way the things and images that form part of his subject.

He discovers perspective. He discovers colour, transparency, movement. He is present, long ago, at the struggle between light and dark. An Arab philosopher, Leonardo da Vinci, Della Porta and still others were the ones for whom the spirits of life would swiftly be revitalised. The artist tied them down. Chemically, maliciously. Objectively, in his opinion.

—— Photography. But explanations give value to open wounds and the new technology, seaching for itself, rediscovers myth. Multiple references not necessarily connected with it are trotted out.

—— In Belgium, a country that is almost as old as photography, the past is not determined by its borders. We think in French. We think in Flemish. We know that we have been Dutch, Austrian, Spanish, French and Roman.

Belgium is Breughel, Jeroen Bosch, carnivals and massacres. Thijl Uilenspiegel and Lamme Goedzak fighting for freedom against Philips II, in the language of Charles de Coster. It is Hugo Claus and Pierre Mertens. It is Marguerite Yourcenar projecting herself onto Hadrian (thinking of Flaubert and Maxime du Camp, of Egypt and Syria, of Rome). We go on to Paul Delvaux: improbable ruins. The beautiful little railway stations of a small country. Frozen figures that have definitively lost the battle with time. Magritte you know. The reversal of things. The unusual arrangement. Time's syrupyness.

—— It was highly tempting to say in relation to this exhibition, 'que ceci ne soit pas une photographie', and at the same time to ask questions about the truth-content of this chemicaloptical phenomenom.

In a certain way they are whimsical and misleading: MARINA COX, LUDO GEYSELS, JEAN-LOUIS GODEFROID, JEAN JANSSIS, STEPHEN SACK. They use materials that are dedicated to light, to reality, in order to register their fictions, their uncertainties, their world of dreams. The means to this is the eye. 'The eye is like an organic forest, entering the forest of forms - from the infinitely large to the infinitely small - the forest of the microbes that do and do not believe in reality, veins, blood, crystals, the underbrush of the forest that emerges from the blank page." (Christian Dotremont, 1950).

Perhaps it is necessary to give even more references, rather than go into detail about the work of the photographers themselves. They are possibly not the references that they themselves would use. More often than not they will not be accurate. All the better, since then they can intersect. Everyone to his own reading. Let's begin the conducted tour with Pierre Loti and Henri de Montfreid (The secrets of the Red Sea). Or how about Leopold II, the colonial epoch, our 'cultural mission'? Or Tin-Tin? Lets go on to James Ensor, Alechinsky, Henri Michaux, Jackson Pollock. The Brabo. 'L'Oeuvre au noir' and 'Het verdriet van België'. The artist discovers, not until much later perhaps, that he has collected much more than he thinks he has. William Henry Fox Talbot already suggested this. Likewise Christian Schad and Moholy-Nagy, undoubtedly, and Man Ray, who certainly enjoyed himself. Rome, Florence, Liege (and Le Perron). Baudelaire, Verlaine, Rimbaud, Shakespeare, Rubens, Fernand Knopff and Félicien Rops. Saint Veronica's sudarium, faces of all times, beyond time, the phantoms of Hiroshima, horribly present. Like prehistoric iguanadons in the Natural History museum and Russian dolls, you know, those dolls which you open and inside there's a smaller doll, which you can open and there's another doll inside, just a bit smaller...

—— Everything is contained in everything.

—— De verleiding was groot om met betrekking tot deze expositie te zeggen: 'que ceci ne soit pas une photographie'..... en om zich tegelijkertijd vragen te stellen over het waarheidsgehalte van dit chemisch-optisch fenomeen.
Ze zijn op een bepaalde manier grillig en misleidend: MARINA COX, LUDO GEYSELS, JEAN-LOUIS GODEFROID, JEAN JANSSIS, STEPHEN SACK. Ze gebruiken materiaal dat is opgedragen aan het licht, aan de realiteit, om hun ficties, hun onzekerheden, hun dromerig universum mee vast te leggen. Het oog vormt het middel hiertoe.
'Het oog is als een organisch woud, dat binnentreedt in het woud van de vormen – van het oneindig grote tot het oneindig kleine – het woud van de microben die wel en die niet geloven in de realiteit, de aderen, het bloed, de kristallen, het kreupelhout van het oerwoud dat voortkomt uit het onbeschreven blad' (Christian Dotremont, 1950).
Misschien is het nodig nog meer verwijzingen te geven, zonder gedetailleerd in te gaan op het werk van de fotografen zelf. Mogelijk zijn het niet de verwijzingen die ze zelf zouden gebruiken. Veelal zullen ze niet nauwkeurig zijn. Des te beter, want dan kunnen ze elkaar kruisen. Ieder zijn eigen lezing. Laten we de rondleiding beginnen met Pierre Loti en Henri de Montfreid (De geheimen van de rode zee). Met Leopold II, het koloniale epos, onze 'beschavingsmissie'? Met Kuifje. En verder met James Ensor, Alechinsky, Henri Michaux, Jackson Pollock. De Brabo. 'L'Oeuvre au noir' en 'Het verdriet van België'. De kunstenaar ontdekt, misschien pas veel later, dat hij veel meer heeft verzameld dan hij op het moment zelf kon vermoeden, gaf William Henry Fox Talbot al aan. Zo ook Christian Schad en Moholy-Nagy, zonder twijfel en Man Ray, die zich wel zal hebben vermaakt.
Rome, Florence, Luik (en Le Perron). Baudelaire, Verlaine, Rimbaud, Shakespeare, Rubens, Fernand Knopff en Félicien Rops.
De zweetdoek van de heilige Veronica, gezichten van alle tijden, buiten de tijd, de geestverschijningen van Hiroshima, verschrikkelijk aanwezig. Zoals de prehistorische iguanodons van het Natuurkundig museum en de Russische poppen, u weet wel, die poppen die je open kunt maken en waarin dan een kleinere pop zit, die je ook weer open kunt maken en waarin weer een pop zit, nog een beetje kleiner.....

—— Alles zit in alles.

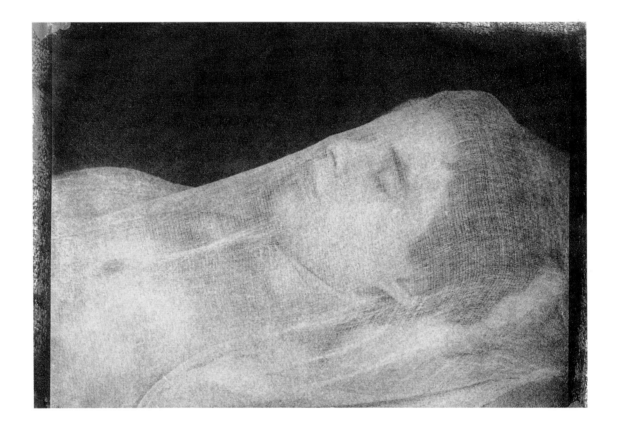

JEAN JANSSIS
untitled
(50 x 40 cm)

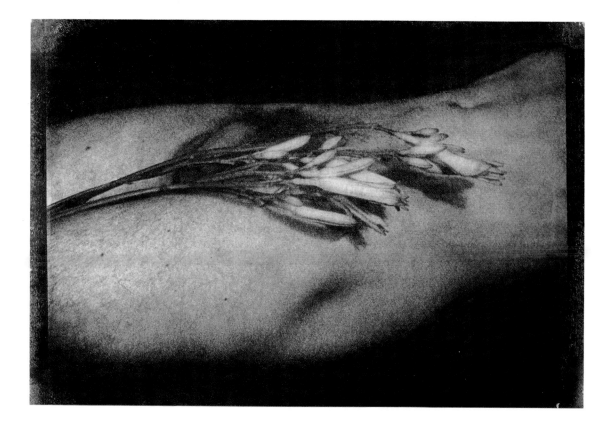

JEAN JANSSIS

untitled

(50 x 40 cm)

MARINA COX

From: Souvenirs de Voyages, 1987

MARINA COX

From: Souvenirs de Voyages, 1987

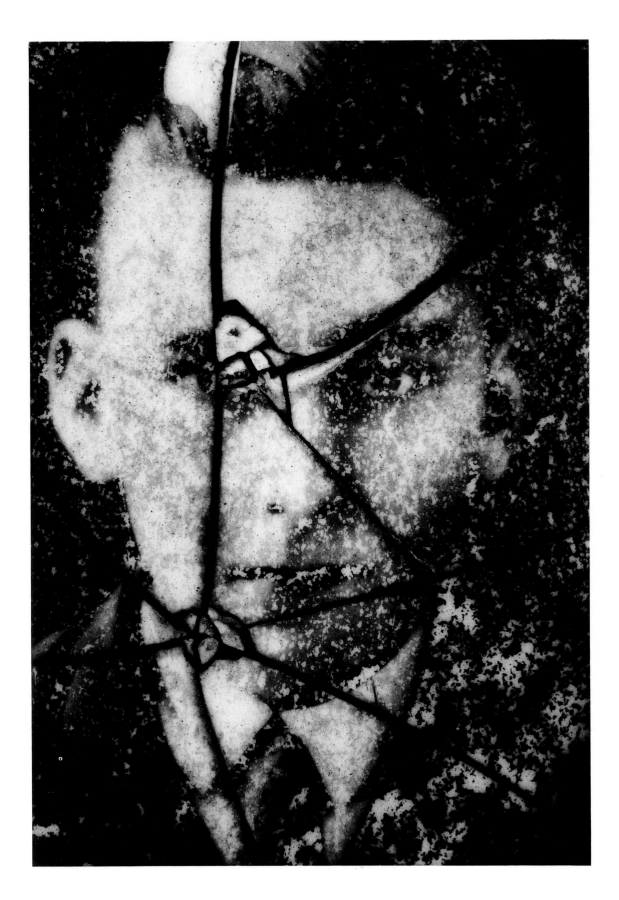

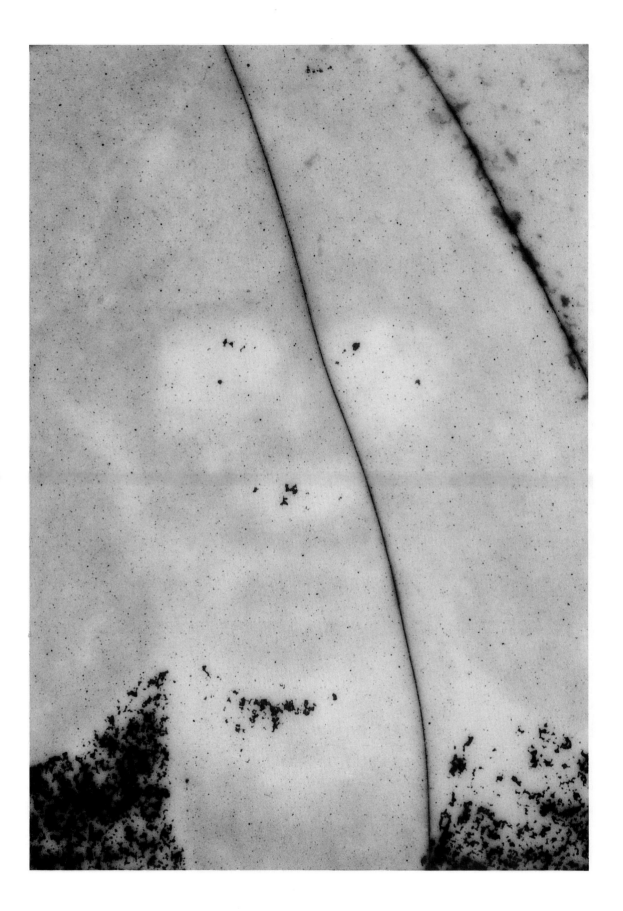

EPHEN SACK

titled, 1986

JEAN-LOUIS GODEFROID

Véronique, 1986

(105 x 200 cm)

JEAN-LOUIS GODEFROID
Véronique, 1986
(105 x 200 cm)

LUDO GEYSELS

untitled

(80 x 100 cm)

LUDO GEYSELS
untitled
(80 x 100 cm)

Antonín Dufek

Antonín Dufek is director of Moravská
Galerie, Brno.

Antonín Dufek is directeur van
Moravská Galerie, Brno.

SPONTAAN ECLECTICISME
DE TSJECHISCHE FOTOGRAFIE
IN DE JAREN '80

Czechoslavakia
Tsjechoslowakije

De fotografie van de jaren '80 in kan worden onderverdeeld in verschillende stromingen. Enkele hiervan komen sterk overeen, andere staan diametraal tegenover elkaar. Het scala aan benaderingen is groter dan ooit. In de toekomst zullen de overeenkomsten van deze periode van fotografische expressie duidelijker te herkennen zijn, maar de verschillen met de voorafgaande periode zijn al geruime tijd bespeurbaar. De meest kenmerkende eigenschap voor bijna al het hedendaagse werk is een persoonlijke visie en een band met de culturele traditie.
—— Verschillende generaties van fotografen zijn nog werkzaam op het terrein van de traditionele fotografie. De meest vooraanstaande zijn: Dagmar Hochová, Miloň Novotný, Pavel Jasanský, Victor Kolář, Pavel Štecha, Bohdan Holomíček, Jindřich Štreit, Ján Rečo, Dušan Pálka, Jaromír Čejka, de Dokument groep (Vladimír Birgus, Petr Klimpl, Josef Pokorný) en van de jongere fotografen Jaroslav Bárta, Jan Jindra en Karel Cudlín. Het is tekenend dat hier nog veelal van 'het subjectieve document' gesproken wordt. De door Andreas Müller-Pohle geïntroduceerde term 'visualisme' wordt in ons land veel gebezigd met betrekking tot werk dat op radicale wijze het specifiek beeldende karakter van de momentopname evalueert, soms in de vorm van een subjectieve interpretatie van het leven (Bořek Sousedík en vele anderen) of op een wijze die zich concentreert op de specifieke kwaliteiten van het fotografische beeld (Štěpán Grygar en anderen).
—— In de jaren '70 werd de, uit een traditie van grootbeeld 'straight photography' voortkomende statische, tot de verbeelding sprekende wijze van fotograferen (J.Sudek, E. Weston) verlaten. Invloeden van niet-traditionele kunstvormen werden opgenomen (land art, arte povera, minimal art, concept art,installaties, enz.).
Deze tendens wordt in de jaren '80 voortgezet door: Jan Svoboda, Jaroslav Rajzík, Karel Kuklík, Jan Reich, Jiří Poláček, Miroslav Machotka, Pavel Baňka, Jaroslav Beneš etc. en in de kleurenfotografie door Jan Ságl, Dušan Slivka, Vladimír Kozlík, Dušan Šimánek en anderen.
De meest recente vernieuwing in de statische fotografie is de manipulatie van de werkelijkheid - voor, tijdens en na de belichting van het negatief of positief (Jiří Foltýn, Josef Vojáček enz.). Nauw verbonden met deze werkwijze is de fotografische documentatie van kunstzinnige activiteiten die gericht zijn op de natuur en sociale vraagstukken (Ivan Kafka, Thomàs Ruller, Dežo Tóth, Michal Kern, Rudolf Sikora, Vladimír Havlík en vele anderen).
—— De geënsceneerde fotografie van de jongste generatie fotografen geniet echter de grootste populariteit. Deze fotografen (bijna allemaal al dan niet afgestudeerde studenten van de FAMU*) hebben zich aangesloten bij het werk van Jan Saudek en de aan hem voorafgaande beweging die rond 1970 werkte in deze stijl. De meest markante debutanten op dit terrein zijn: Miro Švolík, Tono Stano, Rudo Prekop, Michal Pacina, Jiří Vísek, Vasil Stanko en Miroslav Krob Jr. Nauw verwant hiermee is het werk van: Pavel Jasanský, Peter Župník, Jan Pohribný, Josef Sedlák, Ivan Hoffman, Ján Křížik, Vlado Kordoš, Pavel Hečka, Ivan Pinkava, etc. Het werk van veel van deze kunstenaars wordt gekenmerkt door een terugkeer naar een specifie-

IVAN PINKAVA
'Photo for Oscar Wilde', 1986

Another way of participation of photographers in culture: in literature instead of the visual arts.

Een andere wijze van integratie van de fotografie met de cultuur: hier met de literatuur in plaats van de beeldende kunst.

Spontaneous ECLECTICISM

CZECHOSLOVAK PHOTOGRAPHY IN THE 80S

—— Photography in Czechoslovakia in the eighties can be divided into several streams, some of them close to each other, others diametrically opposed. The spectrum of approaches today is broader than ever. The common features of the period will become more apparent in the future, but for a long time now it has been clear that there are differences from the preceding decade. The striking features of almost all today's work are an emphasis on personal vision and a relationship to cultural tradition.
—— There are several generations of photographers continuing to work in the tradition of the snapshot. Excluding those living abroad, the most outstanding of these are Dagmar Hochová, Miloň Novotný, Pavel Jasanský, Viktor Kolář, Pavel Štecha, Bohdan Holomíček, Jindřich Štreit, Ján Rečo, Dušan Pálka, Jaromír Čejka, the Dokument Group (Vladimír Birgus, Petr Klimpl, Josef Pokorný) and, among the younger photographers, Jaroslav Bárta, Jan Jindra and Karel Cudlín. It is symptomatic that Vladimír Birgus' term 'subjective document' is widely mentioned.
Andreas Müller-Pohle's term 'visualism' is mainly used in our country for work which radically evaluates the pictorial specificity of snapshots, in a form which is sometimes close to the subjective documentation of life (Bořek Sousedík, among many others), or else in formulations that concentrate on the specific qualities and values of the photographic image (Štěpán Grygar and others).
—— During the 70s there was a move away from the imaginative interpretation of reality based on the tradition of large-format verism (J, Sudek, E. Weston, etc.), and an assimilation of the influences of non-traditional artistic approaches (land art, arte povera, minimal art, conceptual art, installations, etc.). This tradition is being carried on in the 80s by Jan Svoboda, Jaroslav Rajzík, Karel Kuklík, Jan Reich, Jiří Poláček, Miroslav Machotka, Pavel Baňka, Jaroslav Beneš, etc., and in colour photography by Jan Ságl, Dušan Slivka, Vladimír Kozlík, Dušan Šimánek and others. The latest innovations in photography involve manipulation of the reality in front of the camera during a time exposure and interfering with the negative or the positive after exposure (Jiří Foltýn, Josef Vojáček, etc.). Closely connected with this work is the photographic documentation of artistic activities dealing with natural and social questions (Ivan Kafka, Tomáš Ruller, Dežo Tóth, Michal Kern, Rudolf Sikora, Vladimír Havlík, and many others.).
—— A great deal of attention is currently being paid to the staged photographs by the youngest generation of photographers (mainly students and graduates of the FAMU*), who have linked up with the work of Jan Saudek and the previous wave of this style around 1970. The most outstanding of the recent debutants are Miro Švolík, Tono Stano, Rudo Prekop, Michal Pacina, Jiří Višek, Vasil Stanko and Miroslav Krob Jr. Close related to this style is some of the work of Pavel Jasanský, Peter Župník, Jan Pohribný, Jozef Sedlák, Ivan Hoffman, Ján Krížik, Vlado Kordoš, Pavel Hečka, Ivan Pinkava, etc. The work of many of these photographers can be regarded as a certain form of postmodernism. Much of the spontaneous eclecticism and historicism in their work makes use of the principles of 19th century tableaux vivants, pictorialism, body art, conceptual art, installations, punk styleisations, film direction and fashion photography, resulting in humorous, grotesque or shocking effects.
The interweaving of photographic traditions ensures the vitality of our photography, a broad palette of contemporary forms, and prevents the one-eyed from ruling the blind.

—— The choice of work for the Fotografie Biënnale Rotterdam was governed by the exhibition's proclaimed aim of concentrating on the reinterpretation of photographic traditions. In this respect the situation in Czechoslovakia has been similar to that in most other countries with a developed photographic culture. The purity of the photographic medium became established as a modernist principle during the 20s. Only artists (particularly the 50s Pop artists) did what they liked with the photograph. The originally progressive conception of modern photography, clinging to the specificity of the medium, made photography even more culturally isolated. The situation is quite different today.

—— VLADIMÍR ŽIDLÍCKÝ was the first of our photographers – back in 1977 – to cease to observe the unwritten law and to make manual alterations to positives and negatives. Besides this, he developed a new form of luminography. Židlícký began his artistic career as a painter and regarded photography as a similarly creative instrument for realising his visions. He therefore made use of both techniques, and became one of the pioneers of a new international style which is usually referred to as postmodernism. Židlícký's technique is close to that of Joel Peter Witkin, although the latter's subject matter is more in line with the American tradition. Židlícký manages in his work to integrate the principles of staged photography with certain methods of post-war art (for example, decomposition, destruction, pictures within pictures, citation, reinterpretation) and with themes relating to the cultural heritage (homages to artists, musical motifs, links to Mannerism, the Baroque and other stylistic forms from the past).

—— PAVEL JASANSKÝ is an excellent documentarist as well as an artist who has long been creating objects from various materials. The series 'Bodies' is a new piece in which life-sized photographs of naked dancers go beyond the tradition of the nude genre, towards an epic message on the instinctual dimension of the relation between the sexes. The brutal painting over of positives enhances the expressiveness of the artist's pictorial message, in a way that recalls the work of Arnulf Rainer.

—— PETER ŽUPNÍK presents a different sort of painting onto positives. In his case the painting and the titles accentuate the peculiarity of the original shots, enhancing not only their pictorial quality, but also the personal nature of the transformation of vision into visual art.

—— The crazy humour of MIRO ŠVOLÍK'S visual tricks takes the Conceptualism of the 70s to entirely new lengths, and represent an original interpretation of contemporary photographic styles. The artist's playfulness evokes the innocent world of childhood, an impression which is reinforced by the artist's kindness in not trying to achieve a complete deception so as not to deprive us of the joy of revealing it. There is a certain connection here, as Daniel Mrázková has pointed out, with the atmosphere of the Twenties, which found specifically Czech expression in 'poetism'. The shaping of figures was a speciality of Czech avant-garde ballet. Švolík's method allows the body to become the embodiment of anything. The whole world is totally humanized, transformed into a body.

—— 'Play for Four' – the fourth being the spectator – is a collaborative work by MICHAL PACINA (heads), RUDO PREKOP (bodies) and TONO STANO (legs). This photographic variant of the Surrealist's (and children's) game of 'cadavre esquis' has already attracted attention abroad. The conceptual asceticism and speculation associated with coolly 'cutting up' a body into three portions is linked here with the principle of a game in a way that releases a real orgy of fantasy. Manual alterations to the positive are used sparingly and effectively. The style of each triptych is collective; the medium remains as impersonally cool and indifferent as in scientific photography. It does not thrust itself on the spectator – the fourth participant is not a condition.

—— The works of all those exhibiting represent up-to-date areas of Czech culture, where photography has been occupying an ever more important place in recent years. I do not have in mind here just manipulated and staged photographs, but photography as a whole. We could not allow views on photography to become a repetition of the time around the turn of the century. Nor is photography helped by a tendency towards isolationism; cooperation and dialogue with various cultural forms are where the future lies.

* FAMU is the Prague Film School.

ke vorm van postmodernisme. Het spontaan eclecticisme en historisch besef in dit werk maakt gebruik van de principes van de tableaux vivants uit de 19e eeuw, picturalisme, body art, concept art, installaties, punk stylering, film regie en mode fotografie om komische, groteske of shockerende effecten te bereiken. De vitaliteit van onze fotografie wordt verzekerd door de verwevenheid van verschillende fotografische tradities en dit veelkleurige palet voorkomt dat eenoog regeert in het land der blinden.

—— De keuze van het werk voor de Fotografie Biënnale Rotterdam werd gemaakt op basis van het doel van de tentoonstelling: het centraal stellen van de verwevenheid van de media. Met betrekking tot dit aspect is de situatie in Tsjechoslowakije vergelijkbaar met die van andere landen met een ontwikkelde fotografische cultuur. De lang bewaarde zuiverheid van het medium heeft haar basis in de jaren '20. Alleen kunstenaars, met name in de jaren '50 (pop art) deden met de fotografie wat ze wilden. De oorspronkelijk vooruitstrevende opvatting van de moderne fotografie, die was gekoppeld aan de zelfstandigheid van het medium, bracht haar in een steeds groter isolement. Nu ligt de situatie geheel anders.

—— Het was VLADIMÍR ŽIDLÍCKÝ die in 1977 als eerste afweek van de ongeschreven wetten en met de hand veranderingen begon aan te brengen in negatieven en afdrukken. Ook ontwikkelde hij een nieuwe vorm van 'luminografie'. Židlícký begon zijn artistieke loopbaan als schilder en hij beschouwde de fotografie als een evenwaardig creatief instrument voor het bewerkstelligen van zijn visie. Beide technieken waren hem hierbij behulpzaam. Zodoende werd hij een van de pioniers van een nieuwe stijl die gewoonlijk 'postmodernisme' wordt genoemd. Technisch gezien lijkt zijn werk veel op dat van Joel-Peter Witkin, die echter wat betreft zijn onderwerpkeuze in een Amerikaanse traditie werkt. Židlícký brengt de traditie van de Tsjechische fotografie op een ander niveau. Op zeer bepaalde wijze weet hij in zijn werk de principes van de geënsceneerde fotografie te integreren met enkele methoden van de na-oorlogse kunst (decompositie, destructie, beeld binnen in beeld, citaat en herinterpretatie) en met de thematisering van een deel van de culturele erfenis (eerbetoon aan kunstenaars, muzikale motieven, verbintenissen met het maniërisme, de barok en andere stylistische vormen uit het verleden).

—— PAVEL JASANSKÝ is een uitnemende documentarist en tevens een kunstenaar die zich gedurende lange tijd bezighield met het maken van objecten uit verschillende materialen. De serie 'Bodies' is een nieuw werkstuk. De levensgrote foto's van naakte dansers gaan, voorbij aan het traditionele naakt-genre, naar een epische boodschap omtrent de instinctieve dimensies van de relatie tussen de sexen. Het woeste beschilderen van de afdrukken vergroot de zeggingskracht van zijn verbeelde boodschap. In nieuwe bewoordingen wordt de picturale wereld van Arnulf Rainer opgeroepen.

—— PETER ŽUPNÍK beschildert zijn afdrukken op een andere wijze. Hier benadrukken de beschildering en de titels de eigen-aardigheid van het origineel en zo wordt niet alleen de beeldende kwaliteit versterkt, maar ook de persoonlijke aard van de transformatie van visie naar beeldende kunst.

—— De waanzinnige humor van de visuele spelletjes die worden gespeeld door MIRO ŠVOLÍK brengt het conceptualisme van de jaren '70 naar een geheel nieuw niveau en geeft een originele interpretatie van de stijl van de hedendaagse fotografie. De speelsheid van de auteur roept de onschuldigheid van de kinderwereld op. Deze indruk wordt nog eens bevestigd door de vriendelijkheid van de kunstenaar die niet probeert een perfecte misleiding bewerkstelligen, omdat hij ons het genoegen deze te onthullen niet misgunt. Er is hier sprake van een zekere verbinding – Daniela Mrázkóva wees hierop – met de sfeer van het Tsjechoslowakije van de jaren '20, die haar uitdrukking vond in een zekere 'dichterlijkheid'. Het vormgeven aan de gestalte was een specialiteit van het Tsjechische avantgarde ballet en de methode van Švolík stelt het lichaam in staat om de belichaming van wat dan ook te worden. De gehele wereld wordt vermenselijkt, omgevormd tot lichaam.

—— 'Play for Four' – waarbij de vierde de toeschouwer is – is een gecombineerd werk van MICHAL PACINA (hoofden), RUDO PREKOP (lichamen) en TONO STANO (benen). Deze fotografische variant op het surrealistische (kinder)spel 'cadavre esquis' heeft in het buitenland reeds enige aandacht getrokken. De akelige speculatie om een lichaam in drie stukken te hakken maakt de gevoelens van een generatie manifest. Conceptueel ascetisme is hier verbonden met de principes van een spel dat de mogelijkheid biedt tot variaties die een orgie van fantasieën oproepen. Met de hand aangebrachte veranderingen in de afdruk worden spaarzaam maar effectief aangewend. De stijl van het drieluik is collectief; het medium gedraagt zich even onpersoonlijk en onverschillig als bij wetenschappelijke fotografie. Het dringt zich niet aan de toeschouwer op – de vierde persoon is geen noodzakelijke voorwaarde.

—— Al het geëxposeerde werk maakt deel uit van de Tsjechische cultuur, waarbinnen de fotografie in de afgelopen jaren een steeds belangrijker rol is gaan spelen. Ik denk hierbij niet alleen aan de geënsceneerde fotografie maar aan de fotografie in zijn geheel. We kunnen niet toestaan dat de meningen omtrent fotografie een herhaling worden van die rond 1900. De neiging om fotografie te isoleren is echter weinig constructief. De toekomst ligt daar waar ruimte is voor dialoog en samenwerking met andere culturele uitingsvormen.

* FAMU is de Praagse Film Academie.

Czechoslovakia
Tsjechoslowakije

MICHAL PACINA / RUDO PREKOP / TONO STANO

From: Play for Four, 1987

MICHAL PACINA / RUDO PREKOP / TONO STANO

From: Play for Four, 1987

MIRO ŠVOLÍK

Have Several Children, 1987

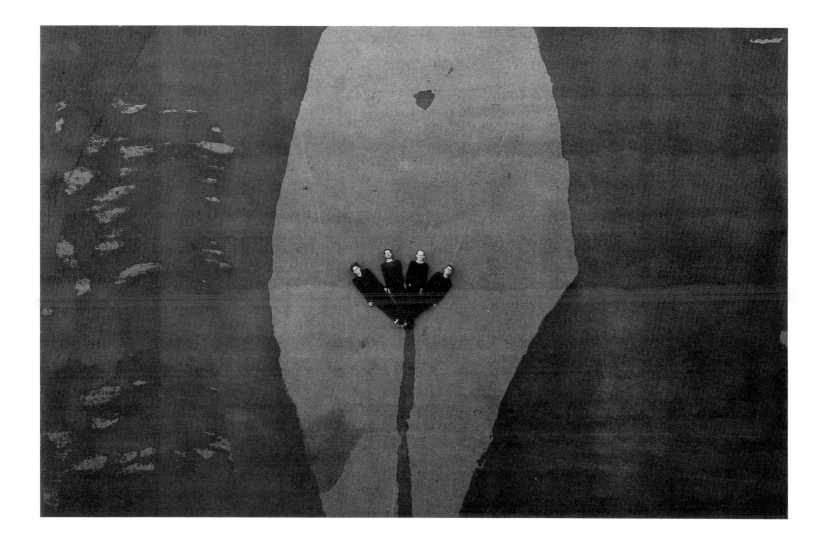

MIRO ŠVOLÍK

With My Wife, 1987

PETER ŽUPNÍK

I Like Memories, 1985

PETER ŽUPNÍK

Dream of The Goldfish, 1985

PETER ŽUPNÍK

Cooking, 1985

PETER ŽUPNÍK

Trip to Nowhere, 1985

PAVEL JASANSKÝ

From: Bodies, 1986

PAVEL JASANSKÝ

From: Bodies, 1986

VLADIMIR ŽIDLÍCKÝ
The Dramatic Figure no. 40, 1987

VLADIMIR ŽIDLÍCKÝ

The Space Which Ceased to Exist, 1983/1985

Christine Frisinghelli is redacteur van het tijdschrift 'Camera Austria' en voorzitter van 'Forum Stadtpark', Graz.

Christine Frisinghelli

Christine Frisinghelli is editor of the magazine 'Camera Austria' and chairwoman of 'Forum Stadtpark', Graz.

'NOT A PLACE TO STAY: THE WORLD WE LIVE IN.' (HELMUT DRAXLER)

ASKING QUESTIONS

POSITIONS IN AUSTRIAN PHOTOGRAPY TODAY

—— Calling Europe into question – questioning Europe. This is where my reflections begin (indicating my understanding of the exhibition's theme): The concept 'European' has been my central question; I did not want to see it as a mere geographic bracket including a wide selection of contemporary photographic work and leave it at that. Along that line, I found another question important: What are the places artists seek out for themselves, places used and described in their work? Not so much a quest for a European identity, but nevertheless an attempt to also show an awareness of this question – an open eye for actuality, for questions of existence. What seems important is to push close to the limits rather than searching out that which rests in itself (the identical) – in our dealings with reality and also in the realization of our work.

Essential to my understanding of the theme (actually I take the subtitle to be the theme) is my rediscovered interest in what today's photography has to offer to the artist as a means of describing the world without taking the shortcut of recording mere surfaces (here, again, the question of identity). The exhibited selection of Austrian photography poses the question of content, of positions, of meaning and how meaning is made, for the artist as well as the viewer.

Description of world (not the world): I am less interested in a reinterpretation of the description of surfaces (a reinterpretation of the documentary, if a term is to be agreed upon), an investigation of precise depiction freezing all that exists, by mediation, as mere objects, recorded in total agreement with the very things themselves. Rather, I like to think of myself as searching for positions where photography becomes a means of approaching, of decoding, describing itself, along the way, as a method of description. A means of questioning the things that lie outside it, yet, at the same time, describing itself as a means of creating reality. In other words: a reflection of the visible world and, simultaneously, a description of how we think about this world.

—— The possibilities multiply. This plurality of possibilities should also be found in the selection of the exhibited work. Four positions – all last year's work –, four possible approaches to 'world'. Means of expression and procedures vary, even to the point of marking extreme positions within a conceivable overall range of understanding and description. What all four works have in common is their oscillation between matter (the outward reality which continues to be a constitutional factor) and imagination, between depiction and fiction: exchange, so to speak, and transformation. 'World' can still be recognized, the things retain their own existence, but things nameable are treated as signs evoking thoughts in the act of recognition and reflection, signs that are not recorded for their own sake (for the sake of the concept identical to the image). Refraction of the experience of the world, scepticism about straight and functional information, mediation, a new awareness of man's relation to the world – this is what characterizes all these works. These descriptions, then, admit to the imperfection of any description, to the fragmentary and transitory nature of all recognition and mediation of reality. Yet, in themselves, they are stringent and without compromise.

My understanding of the theme led me to works each of which represents a unit within the oeuvre of the individual artist (with the exception of Michaela Moscouw, perhaps): works focussing, in their conception, development, realization and strategy, on a certain theme, a context of thought –

VRAGEN STELLEN

POSITIES IN DE HEDENDAAGSE OOSTENRIJKSE FOTOGRAFIE

'Geen plaats om te vertoeven: de wereld waarin wij leven' (Helmut Draxler)

Austria
Oostenrijk

Europa ter discussie brengen, vragen stellen over Europa: hier – en dat verklaart mijn opvatting van het thema van deze tentoonstelling – ben ik begonnen met denken. Het begrip 'Europees' heb ik voor mezelf als centrale vraag beschouwd. Ik wilde dit begrip niet slechts als een geografische accolade bij een eventueel nogal ruim genomen selectie van eigentijdse fotografische werken laten staan. In dit verband werd voor mij dan ook de vraag belangrijk naar de locaties die kunstenaars zoeken, bewerken, beschrijven. Niet zozeer het zoeken naar een Europese identiteit, maar wel de poging, ook het besef van deze vraag, de heldere blik op feiten, existentiële kwesties te laten zien. Eerder dan het in-zichzelf-rustende (het identieke) lijkt mij belangrijk een tot aan de grenzen gaan, in de confrontatie met de werkelijkheid zowel als in de transpositie in het werk.

Essentieel voor mijn begrip van het thema (vandaar, dat ik de eigenlijke ondertitel als thema heb opgevat) is ook de – voor mij opnieuw ontdekte – belangstelling voor datgene wat fotografie (ook) als wereldbeschrijvend middel de kunstenaar tegenwoordig te bieden heeft, zonder dat de korte weg via het noteren van oppervlakkigheden gekozen wordt (ook hier de kwestie van het identieke). Zo stelt de hier getoonde selectie van Oostenrijkse fotowerken ook concreet de vraag naar inhoud, naar posities; de vraag naar de betekenis en hoe deze ontstaat, voor de kunstenaar evenals voor de beschouwer.

Wereldbeschouwing (niet: beschrijving van de wereld): minder interesseert mij hier dus de herinterpretatie van het beschrijven van oppervlakkigheden (van het documentaire in strikte zin, zo men het over een begrip eens wil zijn), een onderzoek van de nauwkeurige weergave, waarin alles wat er is, in afbeeldingen, als louter object, verstart, vastgehouden in overeenstemming met de dingen zelf. Ik zie me liever op zoek naar posities, waarin fotografie middel tot benadering, tot decodering wordt, waar ze zichzelf als mogelijkheid van beschrijving mede-beschrijft. Medium tot peiling van wat erbuiten ligt en gelijktijdig zichzelf als werkelijkheid afbeeldend medium beschrijvend. Reflectie van de zichtbare wereld en beschrijving van het nadenken over deze wereld inéén dus.

—— De mogelijkheden vermenigvuldigen zich. Dit veelvoud van mogelijkheden moet ook in de selectie van de hier getoonde werken terug te vinden zijn. Vier posities – werken die in het laatste jaar zijn ontstaan – vier mogelijke benaderingen van 'wereld'. De formuleringen en procédés zijn verschillend, ze beschrijven zelfs uitersten binnen een mogelijk geheel van verstaan en beschrijven. Wat alle vier werken gemeenschappelijk hebben, is het heen en weer bewegen tussen het materiële (de uiterlijke werkelijkheid, die een constituerende factor blijft) en de verbeeldingskracht, tussen afbeelding en fictie: uitwisseling dus, transformatie. 'Wereld' blijft herkenbaar, de dingen behouden hun eigen leven. Het benoembare wordt echter behandeld als tekens die gedachten, door het herkennen en overdenken, oproepen, maar niet omwille van zichzelf (omwille van het begrip dat met het beeld identiek zou zijn) worden vastgehouden. Gebrokenheid van wereldbeleving, het opnieuw herkennen van de afstand van de mens tot de wereld, kenmerkt al deze werken. Zo zijn deze beschrijvingen ook een bekentenis van het onvolkomene van iedere beschrijving, een bekentenis van het gebrekkige, het transitorische van elke herkenning en weergave van de werkelijkheid en bovendien toch, in zichzelf, zonder compromis en streng. Mijn opvatting van het thema leidde mij naar werken, die binnen het totale werk van de afzonderljke kunstenaars (misschien met uitzondering van Michaela Moscouw) een eenheid vertonen. Werken waarvan de ontwikkeling, transpositie en strategie zich op dat thema concentreren. Conceptuele werken dus, die in het literaire een equivalent in het essay zouden hebben. Pogingen denkprocessen te beschrijven, concreet te blijven, zonder het zoeken naar de vorm uit het oog te verliezen, om verbanden duidelijk te maken. De omzetting in de vorm, de transformatie van het concreet beschrevene in een esthetisch effectieve beeldeenheid, het vrijmaken en loslaten van het denkproces in complexe beelden, wordt de doorslaggevende factor.

—— Over concrete werkelijkheidservaring spreken betekent ook over politiek spreken, en dat is nòg een gemeenschappelijke noemer van deze werken. Meer expliciet misschien in de werken van Furuya en Horakova & Maurer dan in die der beide anderen, gaat het in ieder geval echter niet om de illustratie van een begrip van het politieke, dat zich aan de oppervlakte van de uiterlijke omstandigheden vasthoudt, maar om werken waaraan existentiële ervaringen van het individu – in hun totale geslotenheid ook tegenover het algemene – ten grondslag liggen. Deze ervaringen, dat bewustzijn dat uit deze werken blijkt, manifesteert ook een afwijzing van het

conceptual work paralleled in literature by the essay, representing an attempt to describe thought processes, to remain concrete without losing sight of the quest for form in order to make coherence visible. The formal realization, the transformation of the specific object that is described, into an effectual image unit, the release of the thought process into complex images becomes a decisive moment.

Speaking about concrete experiences of reality also means speaking politically, and this is another common denominator of these works. More than anywhere else, it is explicit in the work of Furuya and Horakova & Maurer. In no case, however, is the object to illustrate the concept of the political which clings to the surface of outward circumstances; the object is to create works based on existential individual experiences, closed, as they are, to everything general. These experiences – resulting in the consciousness expressed in these works – also make manifest a rejection of the symbol, of a generalized reading. It is precisely the thought that comes from 'the depth of the essence' and the 'setting of one's sights on the identical' (Alfred Kolleritsch) which must be analyzed again and again, an attitude that often takes on the form of refusal; of refusal to directly name a thing, to be generally understood (to join in the play of staging reality as performed by politicians). This is why these works often seem hermetic and require the viewer's involvement in a context that is precisely formulated but does not allow for complicity.

Seen against the background of photographic work presently in the making in Austria, the selection may do without some essential aspects – a conspicuous narrative-literary element, for example (Heinz Cibulka, Peter Dressler and others), opening up a picture of the world in associative steps. What is also missing is the mise-en-scène of Herwig Kempinger's space-area-constructions or the ironic element of Paul Albert Leitner's work. The work shown here, varied as it is, demonstrates the wide variety of the work of recent years, even though the concentration on the conceptual element seems to exclude series of individual pictures, an important formal procedure with Christian Wachter, Christoph Scharff or Erich Lazar. Since in Austria photography has been largely excluded from important educational institutions (photography is still not taught at the university level, neither at art academies nor in courses of art history, and it is still not common that museums offer their premises for regular exhibitions of photography), photographers tend to see themselves as mavericks or renegades, so to speak, seldom guided by historic solutions or international movements but trying to make their individual achievements also in other art forms, particularly in literature and film-making. Even if this lack of mediation dampens the public appreciation of photography as an independent art form, the situation also has its positive aspects, as a look at the wide variety of notable work produced in recent years proves.

> 'For several years now – since he had begun to live alone almost all the time he found it necessary to feel precisely, at every moment, where he stood: to be aware of the distances; to know exactly the angles of inclination; to have an idea of the material and layers of the ground beneath him, to some depth, at least; to create spaces, in the first place, by measuring and setting limits, as 'mere forms on paper', by means of which, however, at least for a small duration, he could put himself together and make himself invulnerable.'
> (Peter Handke, Langsame Heimkehr, Frankfurt 1979.)

———— The work 'Limes' (Views of the Berlin wall seen from East-Berlin, capital of the GDR) by SEIICHI FURUYA, time for which was limited by his stay from 1984 to 1987 in the GDR, has its ties to earlier works. His interest in the same topic, his way of circling the phenomenon of the border, becomes visible there as well, although his earlier work does not refer to specific places. Seiichi Furuya is Japanese. The fact that he left his country, that he crossed the borders of Japan (formed by the ocean), outward-bound, raises existential questions of belonging and of the limited nature of cultural orders. He lives abroad – a condition that sharpens one's observation, hightens one's awareness, gives relativity to any place.

To begin with, Furuya's work 'Limes', consisting of 14 photographs, refers very directly to the wall that separates East Berlin from West Berlin. The pictures focus on the concept of the 'wall', and in this sense they are accompanied with dictionary definitions of the word – a step that leads away from The Wall and prevents hasty interpretations. Visually, the photographs emphasize the indifference of the place; circling the empty center of the city of Berlin, they are without a meaningful center themselves: like an empty strip of concrete, an empty page, the wall stretches across the photographs (contrasted by the pictures of The Wall from the other side: the wall as a symbol of separation and destruction). Furuya's work avoids the symbolic. It shows the artist's concentration

symbolische, van het voor algemene uitlegging vatbare. Juist dat 'Denken aus der Wesenstiefe' en dat 'Anpeilen des Identischen' (Alfred Kolleritsch) is het, wat steeds weer moet worden geanalyseerd. Het is een houding die zich vaak uit in weigering, in de weigering direct te benoemen, algemeen verstaanbaar te willen zijn (het spel van de enscenering van de werkelijkheid, zoals de politiek het ons vertoont, mee te spelen). Deze werken lijken om deze reden vaak hermetisch, en verlangen van de beschouwer, zich met nauwkeurig geformuleerde, doch geen compliciteit gedogende samenhangen bezig te houden.

Ziet men de hier uitgekozen voorbeelden tegen de achtergrond van datgene, wat aan fotografische werken thans in Oostenrijk ontstaat, dan moge men voorbijgegaan zijn aan enkele wezenlijke aspecten: aan het in de hedendaagse Oostenrijkse fotografie opvallende verhalend-literaire element (Heinz Cibulka, Peter Dressler, e.a.), waarbij zich voor de beschouwer in associatieve stappen een wereldbeeld ontsluit. Misschien ontbreekt het element van het enscenatorische van de ruimte-vlakte-constructies van Herwig Kempinger, of het ironische element van het werk van Paul Albert Leitner. De hier getoonde werken moeten in hun verscheidenheid de veelvuldigheid van werken die in de laatste jaren ontstaan zijn, weergeven, hoewel de concentratie op het conceptuele element de werken in series, zoals ze bij Christian Wachter, Christoph Scharff of Erich Lazar essentiële procédés zijn, lijkt uit te sluiten. Bepaald door het feit dat fotografie in Oostenrijk zoveel mogelijk van de grote opleidingsinstituten werd geweerd (nog altijd is het niet mogelijk fotografie op universitair niveau, hetzij aan kunstacademies of in de opleiding van kunsthistorici, te studeren; nog altijd is het niet vanzelfsprekend dat musea zich geregeld aan het tentoonstellen van fotografie wijden), zien fotografen zichzelf veelal als 'eenzame strijders' die zich niet zozeer op oplossingen van het verleden of op internationaal belangrijke stromingen oriënteren, dan wel trachten, ook in de confrontatie met andere kunstvormen – vooral de literatuur, de film – individuele prestaties te leveren. Dit gebrek aan mogelijkheden heeft, hoezeer het ook de waardering voor de fotografie als op zichzelf staande kunstvorm schade doet, gezien de verscheidenheid aan achtenswaardige werken die in de laatste jaren zijn ontstaan, ook een positief aspect.

> 'Sinds enkele jaren, sinds hij bijna altijd alleen leefde, had hij het nodig, precies te voelen, waar hij op ieder moment was: op de afstanden voorbereid te zijn; zeker te zijn van de inclinatiehoek; materiaal en ligging van de bodemlagen, waarop hij zich op dat ogenblik bevond, op z'n minst tot op enige diepte te vermoeden; zich door meten en begrenzen in ieder geval ruimte te maken, als 'louter vormen op papier', met behulp waarvan hij echter, in ieder geval voor een korte tijd, ook zichzelf samenstelde en onkwetsbaar maakte.'
> (Peter Handke, Langsame Heimkehr, Frankfurt 1979)

———— Het werk 'Limes' (Beelden van de muur uit Oost-Berlijn, hoofdstad van de DDR) van SEIICHI FURUYA staat, in de tijd begrensd door zijn verblijf in de DDR van 1984-1987, ook in samenhang met vroegere werken. Ook daar waar hij niet-plaatsgebonden (wat hier wèl het geval is) de thematiek te berde brengt, valt zijn preoccupatie met het fenomeen 'grens' op. Seiichi Furuya is Japanner; het feit dat hij zijn land verlaten heeft, de grenzen van Japan (gevormd door de zee) overschreden heeft, naar 'buiten' is gegaan, stelt hem voor existentiële vragen betreffende de verbondenheid, de begrensdheid van cultureel gebonden ordeningen. Hij is in den vreemde: een toestand die de blik scherpt, oplettend maakt, die iedere plaats relativeert.

Het werk 'Limes' is, om te beginnen, direct verwijzend. De 14 foto's tonen de muur, die Oost-Berlijn van West-Berlijn scheidt. De beelden concentreren zich op het begrip 'Muur', in deze zin krijgen ze ook lexicologische definities van dit begrip toegevoegd: een stap, die van de muur afvoert, en zo de snelle interpretatie voorkomt. Visueel ondersteunen de foto's de indifferentie van de plaats: ze cirkelen om het lege centrum van de stad Berlijn, zijn echter ook zelf zonder belangrijk centrum. Als een lege band doorsnijdt de Muur – een niet beschreven vlak de foto's (juist in tegenstelling tot beelden van de Muur, die ons vanuit de andere kant wordt getoond: de Muur als symbool voor de scheiding, de verstoring). In Furuya's werk wordt het symbolosche vermeden, het toont ons de concentratie van de kunstenaar op het niet-zichtbare. Windstilte (in het centrum van de cycloon). Eigenlijk zouden die beelden helemaal niet moeten bestaan: ze houden de blik ook niet vast op het feitelijke, het anecdotische, op sporen van een aanwezigheid die zich erop geregistreerd zouden hebben. Het zichtbare – het lege vlak – neemt de blik op, wordt poreus. De Muur als zichtbare gedaante van het onzichtbare (zoals Roland Barthes over Tokio schreef heeft: een stad waarvan het centrum 'leeg' is).

Zo moet de daad van het beschouwen het constituerende element van deze beelden worden: het beeld ontstaat pas in deze daad. In zekere zin zijn deze beelden niet eens beschrijvingen (een beschrijving zou nog een betekenis willen scheppen); ze zijn een designatie, een aanwijzing: het is zo, het is er. De beelden zijn zonder commentaar zonder een expliciet erin gebracht idee: een aansporing, ze met gedachten te vullen, zonder ons in een bepaalde richting te motiveren of ons te ondersteunen. En als deze blik in het 'niets', in de leegte, nu eens de eigenlijk juiste beschouwingswijze van 'de muur' zou zijn? Als de symbolische betekenis, die we er in een korte gedachtenkronkel aan geven, ons er juist van zou weerhouden, deze choquerende leegte te ervaren, als ze ons naar waarheid voor dit inzicht zou behouden?

Deze beelden zijn (ook) verboden beelden, die immers ook nog niet gezien werden. De daad van het tonen van deze beelden wordt zo ook tot een ingreep: een ingreep in het verbodene en een aanval op de beschermende muren van het gemakkelijk verklaarbare, het overijld sprekende, waarmee we ons hebben omgeven.

> 'Hij stelt de dingen òf zo voor, als ze waren of zijn, òf zoals ze behoorden te zijn'
> (Aristoteles)

Austria
Oostenrijk

—— TAMARA HORAKOVA & EWALD MAURER zijn kunstenaars die werken met het idee van de werkelijkheid van beelden. 'Bildtransfer' noemden zij in 1985 een tentoonstelling. Een titel die ook van toepassing zou kunnen zijn op de hier getoonde '2RUN'-werken. Hun uitgangsmateriaal bestaat uit alledaagse beelden: uit de reclame, nieuwsbeelden, produktbeschrijvingen, krantenpagina's. Zij nemen deze beelden in hun primaire functie van tijdingen, nieuwsberichten, die om te beginnen aan elkaar gelijkwaardig zijn. De ingreep in deze beelden wordt een rigoureus omvormen, afdekken, blootleggen. De eindprodukten zijn autonoom werkende, abstracte beelden, die ook steeds weer in het decor oplossen. Door het wordingsproces van deze beelden blijft niettemin ook de duidelijk door alle inhouden gereinigde vorm concreet, zou men alle lagen, alle transformatietoestanden die de technische ingreep vereist, nog als reële beelden – die ze ook zijn – kunnen zien. Dit werk in de context van de fotografie plaatsen mag verwondering wekken, hun formaat, ook hun picturale kwaliteit en het feit, dat 'werkelijkheid' hier niet meer een direct betekenisgevende functie heeft, doen hen in deze omgeving misschien vreemd voorkomen. Maar juist dit omzetten in de vorm, dit verlaten van het inhoudelijke van de tijdingen, gooit in de omkering – daar deze beelden immers inderdaad 'werkelijkheidsbeelden' blijven die slechts aan gene zijde van onze begripsmogelijkheden liggen – ons wereldbeeld doorelkaar. Elk van deze beelden is eigenlijk een ruimtelijk object, is tweezijdig, en verkrijgt door gebruikmaking van fluorescerende kleuren daarbij nog een nieuwe dimensie, daar deze hun gedaante in de fasen van licht en donker veranderen, vanuit zichzelf dus een gedaante ontwikkelen. Laag voor laag leggen de beide kunstenaars hier het proces van het zich toeëigenen van de werkelijkheid bloot: reëel en metaforisch tonen zij de essentiële basisvoorwaarden van het kijkwerk. (Beelden worden afgedekt, gedigitaliseerd, fragmentarisch vergroot, ontleed, geretoucheerd, enz.). 'Slechts in de gefaseerde onttrekking of vervreemding van de gewone trefplaatsen wordt het patroon 'erachter' met al zijn mechanismen en condities zichtbaar en voorstelbaar. Niet zozeer de opbouw van systematische betekenisstrategieën is in dit werk van belang, doch veeleer het behoedzame, maar onverstoorbare ontbinden van het aanwezige, het visuele benoemen van ervaringen en voorstellingen in samenhang met de veelzijdige ruimte, die onze visuele aard voorstelt'. (Werner Fenz)

> 'Het is geen onmacht, het ingrijpen in het procédé van beschouwen te beschrijven, het is geen mystiek, als men zich uit de beperking losrukt en ziet en afleest, en men datgene wat verschijnt nader is dan de regels die de reconstruerende toegang willen ordenen'.
> (Alfred Kolleritsch, Fiktionen. In: Gespräche im Heilbad, Salzburg 1985)

—— In haar werk 'Blau wie Blut' (1987) gaat MICHAELA MOSCOUW niet zozeer de weg der analytische beschouwing van de werkelijkheid, maar confronteert ze ons met een visie op de wereld, die verdiepte beschouwing is en die zich tegelijkertijd van de vreemdheid van het beschouwde onderwerp bewust blijft. Een visie die verbaasd wordt door het plotselinge inzicht, dat ervaring nu juist niet het controleerbare is, maar dat zij bestaat uit op elkaar liggende lagen van het ondervondene en overdachte, uit herinnerde en tegenwoordige beelden.

on the invisible – the calm in the cyclone's eye. The pictures really need not exist: there is nothing factual, anecdotic, no traces of a presence written in them that holds the eye. The visible – the empty space – absorbs our gaze, becomes permeable. The wall as the visible form of the invisible (as Roland Barthes described Tokyo, a city whose center is 'void').

Thus, the act of viewing must become the constituting element of these pictures: only then do the pictures begin to exist. In a sense, they are not even descriptive (descriptions would still intend to create meanings): they are pure designation: so it is, here it is. The pictures are without comment, there is no explicit thought instilled in them: a challenge to fill them with thoughts, without motivating us his way or the other, without giving us support. What if this gaze into nothingness, into the void, were the true way of seeing The Wall?

What if the symbolic meaning we attach to it in a short loop of our thoughts could save us from experiencing this shocking emptiness? If it would, in fact, protect us against this realization? These pictures are (also) forbidden pictures. To this point, they have not been seen. The act of showing them thus becomes an intervention, intervening in that which is prohibited, an attack against the protecting walls of the readily explainable things and rash words we have surrounded ourselves with.

> 'He represents things as they either were or are, or as they are said to be, and as they seem to be or should be.'
> (Aristotle)

—— TAMARA HORAKOVA and EWALD MAURER are artists working on the reality of images. An exhibition of their work in 1985 was named 'Bildtransfer' (Image Transfer), a title that would also fit their work exhibited here, which they called '2RUN'. Their raw material are everyday images: advertisements, news photographs, brand names, newspaper pages. They take these images in their primary function as messages, news, all being equivalent to begin with. The artist's intervention consists in rigorous reshaping, covering or uncovering. The final products are autonomous, abstract pictures again and again dissolving in decorative patterns. In their genesis, however, the form, obviously purified of all content, would still remain concrete and definite, if all the layers, all the phases of transformation required by the technical intervention could be seen as real pictures, which, after all, they are. It may seem surprising to put this work in a context of photography: the mere format, the painterly quality and the fact that its 'reality' does not carry meanings may make these pictures seem alien to such surroundings. But it is precisely this conversion into form, this turning away from content and message which, in a reverse process makes our image of the world tumble. After all, these pictures remain 'pictures of reality' – they merely lie beyond the possibilities of understanding.

Actually, with its two sides, each of these pictures is a spatial object, taking on an additional dimension by its fluorescent colors, since they change their shape in the light and in the dark, developing shape and form in themselves. Layer by layer, the two artists uncover the process of appropriating reality: in reality and in metaphor, they demonstrate the essential conditions of the work of seeing. (Pictures are being covered, digitalized, sections are enlarged, dissembled, painted over etc.) 'Only through various stages of alienation and denial does the underlying pattern with its mechanisms and conditions become visible and comprehensible. The real crux of the artistic matter presented here is not primarily the systematic construction of semantic strategies but the gentle, yet unwavering distanglement of complexities, the visual citation of experiences and concepts in connection with the many-faceted environment constituting our visual nature.' (Werner Fenz.)

> 'It is not helplessness if we describe the way we reach into the processes of viewing; it is not mysticism if we break out of restrictedness, looking and reading and being closer to appearances than to the rules intended to bring oder to the reconstructive approach'.
> Alfred Kolleritsch, Fiktionen. In: Gesprch im Heilbad. Salzburg 1985.)

—— In her work 'Blau wie Blut' (1987) (Blue as Blood), MICHAELA MOSCOUW does not primarily take the approach of analytical observation of reality but confronts us with a prospect of the world which might be called immersed observation while remaining aware of the strangeness of the object which is observed. A look, surprised by the sudden awareness that experience is anything but measurable, that it is built of layers of things experienced and imagined, things remembered and things present.

'Blau wie Blut' is a work of pathos with beauty and terror close together: the erotic-attentive look at a crucifixion group, the cross flanked by two angels who are turned towards the crucified Lord in a distorted attitude of endulgement, giving emphasis to their attitude by a male and a female gesture – a hand on the hilt and a hand on the heart. The figure of Christ keeps reappearing, but only in segments: the torso, the loin-cloth, also segmented across two frames, covered-up, enveloped by drapings, physically present as an object of desire, but always fragmentary, only partially caught by the eye.

The irony of the title of this work is but one of the refractions saving Michaela Moscouw from being either too superficial or too deep. Her wondering, her experience reaches deep down: It is a view from inside a well-ordered world where a mere notion of a strangeness in omnipresent things comes close to being taboo. Her view is not the result of a thought process that includes a ready-made definition of self, but rather shows the painful touching of the wound torn by the loss of unity. Being unable to be one with the rules; drawing pleasure, perhaps, from ignoring the rules, yet, at the same time, admitting to the powerlessness of destructive action, she treads on as yet unsecured terrain.

Michaela Moscouw's point of departure is the direct transformation of the act of viewing into the image: derived directly from seeing, the process of photographing equals the fixing of one's gaze on an object. She continues to explore this cursoriness by circling the objects, by repeated views of details, in a segmentation of perception and in processing the original. The fact that she produces merely one copy of each of her works, that her pictures are not framed nor exhibited behind glass, that she shows herself openly and allows for lapses in her work – all this responds to her artistic approach.

'No more devastation possible. Arrival ashore. Casual. Lost in thought. Forgetful. And intending to forgive. The landscape wears a crown of stillness.' (Margit Ulama, Peter Waterhouse. Die Andere Seite der Welt, 1987. Manuskripte Nr. 99, Graz 1988.)

—— In his work '8 Steine für den Genfer See' (1987) (8 Stones for Lake Geneva), MANFRED WILLMANN is explicitly concerned with approaching, exploring and describing a specific place: authors and photographers had been invited to produce works dealing with the region around Lake Geneva for the 'Arc-Lémanique' project. Beyond the found images existing in their own right, so to speak, beyond the factual and its depiction, the artist's essential interest is finding 'his own place' in approaching this landscape. The center of each of the eight tripartite panels forming elongated crosses is occupied by a view of the lake: the line of the horizon lying in the center of the picture. A rock, thrown into the water, causes concentric ripples gradually vanishing. The view of the lake chronologically comes after the search for a rock, the gesture of the hand touching and closing around it, the throw, the rock touching the water (the cristalline in touch with the amorphous); the view across the lake, appearing before us for a short moment in an intended order. The moment of photography is not the essential moment but it shows the contacts that have taken place. The foot of the cross – in its color a counterweight to the blue-pale center picture – is formed by two photographs, brown-orange prints transformed from color negatives, their only other tones being bright red and green. These pictures were taken from a moving car. The camera and the view are directed straight ahead. The movement 'towards the place' takes precedence over the landscape rolling by. Dream images (images that are but images in a dream) – specific but with little resistence against whatever we understand about reality, whatever we store in our minds.

The top part of each of the eight crosses is a picture of roses (blossoms, thorns). These roses are the only element in this work perceived for its own sake: in their richness, they stand before us, an image laden with meaning. After the approaching motion, after the ride, after the process of appropriating the found image, the landscape now has a crown of stillness, and, speaking in its own behalf, it demands to be perceived as a picture in its own right, pointing, in this understanding of itself, back towards the pictures of this work, pictures (finite, yet incomplete) unwinding in time.

'Blau wie Blut' is een pathetisch werk, waarin de schoonheid en het verschrikkelijke dicht bij elkaar liggen: de erotisch-opmerkzame blik op een kruisingsgroep, twee engelen, die een crucifix flankeren. De beide engelen in zwelgend-verwrongen houding naar de gekruisigde toegekeerd en deze toewending met een mannelijk (de greep naar het zwaard) en een vrouwelijk (de hand op het hart) gebaar onderstrepen. De Christusfiguur zelf verschijnt repeterend, echter slechts in fragmenten: de torso, de lendendoek, over twee kaders heen ook aangezet, verborgen, door draperingen omhuld, als object van begeerte lichamelijk aanwezig, maar steeds slechts fragmentarisch, gedeeltelijk door de blik gevangen.

De ironie van de titel van dit werk is slechts één van de breuken die Michaele Moscouw ervoor behoeden, te oppervlakkig, of te diepzinnig te worden. Haar verwondering en haar ervaring gaan dieper. Het is de blik uit het innerlijk van een geordende wereld, waarin alleen reeds het waarnemen van de vreemdheid in het alomtegenwoordige aan het taboe grenst. Haar blik is niet het resultaat van een denkproces, waarin het Ik zijn positie al zou hebben gedefinieerd, maar toont veeleer het smartelijk aanraken van de wond, die het verlies van de eenheid betekent. Zich niet meer één kunnen voelen met de regels, het genoegen waarschijnlijk ook om deze regels te negeren, maar toch ook het onvermogen van het verwoestend ageren toegevend, beweegt ze zich op onbeveiligd terrein.

Michaela Moscouw werkt uit de directe omzetting van de kijk-actie in het beeld: onmiddellijk uit het zien komend is het procédé van het fotograferen gelijk aan het vluchtige ogenblik van het fixeren van een object in het zien. Deze vluchtigheid zet zij verder voort in het omcirkelen van de objecten, in de terugkerende blik op details, in het fragmentarische van het waarnemen en in het bewerken van het origineel. Het is ook passend bij deze werkwijze, dat ze van haar werken slechts één originele uitvoering vervaardigt, dat haar werken niet ingelijst, noch achter glas getoond worden, dat zij zich openlijk in haar werk toont en zichzelf zo ook misstappen permitteert.

'De mogelijkheid van vernietiging voorbij. Aankomst bij de oever. Terloops. Peinzend. Vergeetachtig. En met het voornemen, te vergeven. Het landschap heeft een kroon van stilte'. (Margit Ulama, Peter Waterhouse. Die Andere Seite der Welt, 1987, Manuskripte Nr. 99, Graz 1988)

—— In het werk '8 Steine für den Genfer See' (1987) gaat het MANFRED WILLMANN expliciet om het benaderen, het doorgronden en beschrijven van een concrete plaats. Schrijvers en fotografen waren uitgenodigd om voor het project 'Arc Lémanique' werken voor de regio rond het meer van Genève te vervaardigen. Naast de aanwezige, als het ware 'voor zichzelf' bestaande beelden, het feitelijke en de afbeelding daarvan, gaat het er in dit werk wezenlijk om, 'de eigen plaats' in de benadering van dit landschap te vinden. In de acht driedelige tableaus, die elk een langgerekt kruis vormen, staat een blik op het meer centraal: de lijn van de waterhorizon, die het midden van het beeld kruist. Een steen, in het water geworpen, veroorzaakt golfkringen die zich concentrisch verwijden. De blik op het meer volgt chronologisch op de zoekende blik, die de steen uitkoos, op het gebaar van het aanraken door de hand, die zich om de steen sloot, hem wierp, op de aanraking van de steen en van het water (van het kristallijne en het amorfe); de blik op het meer, dat voor ons voor korte tijd in een gewilde ordening verschijnt. Het ogenblik waarop de fotografie plaatsvindt, is niet het wezenlijke, maar het toont de aanrakingen die plaatsgevonden hebben.

De voet van het kruis, qua kleur belangrijk voor het vaalblauwe centrale beeld, wordt gevormd door twee foto's waarvoor kleurnegatieven in een oranjebruin positiefbeeld werden overgezet, waarnaast nog slechts helrode en helgroene tinten opduiken. Deze beelden zijn genomen vanuit een rijdende auto: de camera en de blik recht naar voren gericht, wordt de beweging 'naar de plaats toe' wezenlijker dan het zich ontrollende landschap. Droombeelden (beelden die in de droom pas slechts beelden zijn), concreet, maar weinig weerstandsvermogen bezittend tegen dat, wat wij onder 'werkelijkheid' verstaan en opgeslagen hebben.

Het kopstuk van het kruis vormt, in alle acht tableaus, een beeld van rozen (bloemen, doornen). Deze rozen vormen het enige op zichzelf waargenomen element in dit werk: weelderig staan ze voor ons, een met betekenissen beladen beeld, na de beweging van het benaderen, de rit, na het proces van het zich toeëigenen van het aangetroffen beeld, heeft het landschap nu 'een kroon van stilte', die, voor zichzelf sprekend, als beeld 'op zichzelf' waargenomen wil worden, en zo, met deze vanzelfsprekendheid, terugwijst naar de in de tijd verlopende (eindige, maar nog niet afgesloten) beelden in dit werk.

Austria
Oostenrijk

MUR [myr] n. m. (lat. *murus*; v. 980, au plur. «enceinte fortifiée»). **1.** (1225). Ouvrage de maçonnerie, élevé verticalement, qui constitue un des côtés de la maison et supporte les étages, ou qui sert à séparer des espaces ou à soutenir quelque chose : *Un mur épais de plusieurs dizaines de centimètres. Les murs des immeubles sont hauts, ils dressent leurs faces pleines de fenêtres et de balcons* (Le Clézio). *Elle ouvrit un petit placard, dissimulé dans le mur* (Troyat). *La vieille ville est entourée d'un mur datant du XIIIᵉ s. Raser les murs pour éviter d'être vu. Un pan de mur; ouvrage analogue d'une autre matière que la maçonnerie : Un mur de terre. Un mur taillé dans le roc.* — **2.** Ce qui forme un obstacle infranchissable : *Se heurter à un mur. Les gens formaient un mur hostile autour de la boîte à numéros* (Vian). *Un mur d'incompréhension, de haine entre deux communautés. Le mur de la vie privée.* — **3.** *Coller quelqu'un au mur, le fusiller.* ‖ *Entre quatre murs*, dans un logement nu, dépourvu de meubles; à l'intérieur, en prison : *Rester, pendant les vacances, malade entre les quatre murs de sa chambre.* ‖ *Être le dos au mur*, ne plus pouvoir fuir. ‖ *Faire, sauter le mur*, sortir sans permission, en parlant d'élèves internes, de soldats. ‖ Sport. *Faire le mur*, en parlant d'une équipe de football, être sur une ligne serrée, lorsqu'on tire un coup franc direct. ‖ Constr. *Gros mur*, chacun des murs qui forment l'enceinte d'un bâtiment. ‖ *Mettre, être au pied du mur*, mettre, être devant ses responsabilités, sans pouvoir reculer ni différer la réponse; forcer à prendre parti. ‖ Hist. *Mur de l'Atlantique*, système de fortifications construit par les Allemands de 1940 à 1944, pour s'opposer à un débarquement allié. ‖ Constr. *Mur bahut*, mur de clôture dont la hauteur ne dépasse pas celle d'un siège. ‖ *Mur bleu*, profondeur à laquelle un plongeur muni d'un scaphandre autonome ne rencontre que du bleu profond, perdant la notion de sa position et parfois le contrôle de lui-même. ‖ *Mur de la chaleur*, ensemble des phénomènes calorifiques qui prennent naissance aux très grandes vitesses et qui peuvent limiter les performances aériennes dans l'atmosphère. ‖ Constr. *Mur en décharge*, mur dont le poids se trouve soulagé par des arcs en maçonnerie, appelés «arcs de décharge». ‖ *Mur de dossier*, ou *mur dosseret*, mur qui s'élève au-dessus d'un toit et auquel sont adossés les tuyaux de cheminée. ‖ *Mur extérieur*, mur formant enceinte au-dessus du sol de la construction. (On dit aussi MUR DE POURTOUR.) ‖ *Mur de façade*, ou *mur portant*, mur qui limite une construction à l'extérieur sur les façades principales. ‖ *Mur en retour*, mur qui forme équerre à l'angle d'une culée de pont. ‖ Hist. *Mur d'Hadrien*, fortification élevée en Angleterre de 122 à 126 entre la mer du Nord et la mer d'Irlande, pour arrêter les incursions calédoniennes. ‖ *Mur sonique* ou *mur du son*, ensemble des phénomènes aérodynamiques qui se produisent lorsqu'un mobile se déplace dans l'air à une vitesse voisine de celle du son. ‖ *Mur en surplomb*, mur déversé, ou *forjeté*, mur qui penche en dehors. ‖ *Mur de terrasse, de soutènement, de revêtement*, mur destiné à s'opposer à la poussée des terres. ‖ *Ne laisser que les quatre murs*, enlever tout d'une maison, d'un logement. ‖ *Se cogner la tête contre les murs*, tenter une entreprise dans laquelle il n'est pas possible de réussir; se désespérer. ◆ n. m. pl. Limites d'une ville, d'un immeuble; lieu circonscrit par ces limites : *Depuis quand êtes-vous dans nos murs?*

Eisenhutweg

Ecke Eberswalderstrasze / Oderberger Strasze

wall, *sb.*¹ Add: I. **4. g.** *The Wall*: ellipt. for *Wailing Wall* s.v. *WAILING *vbl. sb.* c.
1895 J. SMITH *Pilgrimage to Palestine* xvi. 219 The 'Wailing Place of the Jews'..is situated a little to the north.. High overhead towered the..stones of the Temple Wall..with the Wall itself.. rising to a height of 60 feet... There, with their faces to the wall—kissing the stones,..or joining in a loud chorus of lamentation stood a long row of Jews. **1928** *Western or Wailing Wall in Jerusalem* 6 in *Parl. Papers* 1928–9 (Cmd. 3229) XV. 105 His Majesty's Government regard it as their duty..to maintain the established Jewish right of access to the pavement in front of the Wall for the purposes of their devotions. **1967** C. POTOK *Chosen* xii. 198 He died while praying at the Wall for the Messiah to come and redeem his people. **1973** *Guardian* 21 June 2/7 The present intention is to link the Wall with the historic 'upper city' (now the Jewish Quarter).

h. *The Wall*: ellipt. for *Berlin Wall*, the wall surrounding West Berlin and separating it from communist East Berlin and the rest of East Germany (erected in 1961).
1961 *Daily Progress* (Charlottesville, Va.) 20 Oct. 1/1 Here in Berlin communism has created one of the ugliest and most depressing sights on the face of the globe. It is The Wall—the wall of death, the new concrete curtain of communism. **1964** *Ann. Reg. 1963* 225 It was stated that 1,283,918 had crossed the Wall by the time it closed on 5 January 1964. **1977** G. MARKSTEIN *Chance Awakening* lxxviii. 243 My father had his legs blown off..when he tried to flee over the Wall.

II. 8. c. In the game of Mah Jong, the arrangement of tiles from which hands are drawn. Cf. *TILE *sb.*¹ 4 b.
1922 *Lit. Digest* 30 Dec. 38 One studies the unfolding of Ma Jung, one detects Eastern cunning to whet the skill, first the building of the 'wall', undoubtedly meaning the great wall of China, one of the seven wonders of the world. **1950** E. CULBERTSON *Culbertson's Hoyle* 415 *Wall game*, void game by exhaustion of the wall without any declaration of a complete hand. **1974** *Encycl. Brit. Micropædia* VI. 503/3 Thereafter, the other players, in counterclockwise rotation, each draw one tile, which may be the last discarded tile or a loose tile from the 'wall'.

d. *Baseball.* The barrier marking the outer perimeter of the outfield.

Sebastianstrasze

СТѢНА — ограда, стѣна : — Не бѫшеть бо лзѣ иа бѣгаючимъ оутечи, зане яко стѣнами сланами огорожени бахоу полкы Половѣцьскыии. *Ип. л. 6693 г.* Привлече корабль къ стенѣ градьнѣи вѣтръ. *Нов. I л. 6712 г.* Внидоша по примету в городъ чресъ стѣну. *Сузд. л. 6745 г. (по Ак. сп.).* Татаровѣ же быющеся, градъ прияти хотяще, разбившимъ стѣны града, и взыдоша на валъ. *т. ж. 6746 г.* Единымъ приступомъ три стѣны взяша. *Псков. I л. 6770 г.* Псковичи даша наимитомъ 2 ста рублевъ пстробити имъ стѣна святыя Троица; они же, подбивающе, выносиша въ Великую рѣку. *т. ж. 6872 г.* Поставлена бысть церковь Покровъ святѣи Богородици камена въ Домонтовѣ стѣнѣ. *т. ж. 6906 г.* Баше грⷣа твердъ Юрьевъ, въ Гⷤ стѣны. *Нов. I л. 6970 г.*

— изгородь : — Се купи... лоскутъ земля, на гори, а въ межахъ съ Николскою землею да съ Ѳомою, а огородъ стѣна съ Ѳомою по половинамъ. *Нов. купч. XIV—XV в. 17.*

— загородка, стѣнка : — Соусѣкъ... пылънъ соущь моукы, яко же прѣсыпатися еи чрѣсъ стѣноу на землю. *Нест. Жит. Ѳеод. 23.*

— стѣна зданія : — Писахъ... на празѣ стѣны клѣти цⷨя и прⷨ видяаше прьсты ржкы пишжщаа (τοίχου). *Дан. V. 5 (Упир.).* Стаючи безмолвно при стѣнѣ (въ храмѣ). *Ѳеод. Печ. VII. 210.* Дроузии же (бѣси), стѣноу подъимъше, гⷧаахоу: сѣмо да влеченъ боудеть, яко да стѣною подавленъ. *Нест. Жит. Ѳеод. 15.* Стѣны же ся покованы мраморяными дьсками, драгаго мрамору, красно вельми. *Дан. иг. (Нор. 38).* Монхъ храмъ стѣны раздруши (τῆς οἰκίας τὰ οἰκοδομήματα, substructiones). *Жит. Андр. Юр. XVII. 79.* Заложили

Schwedter Strasze

SEIICHI FURUYA

Limes/Bilder der Schutzmauer aus Berlin-Ost, Hauptstadt der DDR, 1986-88

Michaelkirchplatz

Am Nordbahnhof

Seydelstrasze

Oderwerger Strasze

Pariserplatz

Finnländische Strasze

Reichstagufer

Falkplatz

Friedhof der Sophienkirchgemeinde

Am Flutgraben

(церковь) круглу по старинѣ о 20 стѣнахъ. *Архапі. д. 7000 г. (Кар. И. Г. Р. VI. пр. стр. 162).* — Ср.: Стѣ- ны би възградых, мраморомъ помостилъ. *Іо. екз. Шест. но сп. 1263 г. д. 6.*
— стѣнка у палатки, пола: — Возма на са крт҃, иконоу и подониа стѣноу и лѣзе вон. *Ип. д. 6693 г.*
— преграда: — Іако стѣножъ нѣкакою между сима раз- дычивъ I отъ себе сама раздѣливъ (τειχίον). *Гр. Наз. XI в. 76.*
— защита, оплотъ: — Ты жси родоу крьстьяньскоу стѣна. *Хож. Богор.*
— темница (во множ.): — Сіа жго Олексоу затвори въ стѣнахъ высокыхъ стражею, гако не въ нидетъ. *Нов. I д. 6712 г.*
— денежная кладовая, казна: — На полатѣхъ и въ стѣнахъ и въ съсоудохранилнищи не вѣде, колико злата и сребра, гако нету числа. *Нов. I д. 6712 г.* — Дати въ стѣнѣ: — А кто имѣтъ наступатися на тып островы чрезъ сію жаловалную Великого Новагорода грамоту, а тои дасть Великому Новугороду сто руб- левъ въ стѣну. *Жал. гр. Нов. 1459—1470 г.* А кто съ нашу жаловалную грамоту переступить, и онъ дасть господину государю Великому Новугороду въ стѣну пятьдесятъ рублевъ. *Жал. гр. Нов. 1477 г.* — Ср. въ Описаніи Соловецкаго мон. Досиеев: Древнее при- словіе давать въ стѣну или собирать деньги въ стѣну не вышло еще изъ памяти Холмогорскихъ поселянъ- старожиловъ около-посадныхъ волостей; сами словами означается у нихъ окладъ денежный или тягло, относимое на щетъ государственной казны, что над- лежитъ взыскать безъ упущенія и заплатить непре- мѣнно *(Досиев. Оп. Соловец. мон. I, 50).*
— круча, обрывъ: — Видъ бо невъхлаштенъ, еда и съ стѣны сьринетъ (χατὰ χρημνῶν). *Гр. Наз. XI в. 6.*
— ср. Др.-С. stainu; Гте. stains; Н.-Нѣм. Stein; Гр. στία— каменъ.

Mau·er (f.; -, -n) **1** *Wand aus übereinandergreifen- den, meist mit Mörtel verbundenen Steinen:* Beton ~ , Ziegel ~ , Gefängnis ~ , Garten ~ ; eine ~ bauen, er- richten; eine alte, bröckelige, eingestürzte ~ ; eine dicke, hohe, massive ~ ; ein Gelände mit einer ~ umgeben; wir sind durch eine ~ gegen Einsicht von der Straße geschützt; die Chinesische ~ **1.0.1** die (Berliner) ~ *von der Dt. Dem. Rep. am 13. 8. 1961 in Berlin errichtete Mauer(1), die die Stadt teilt* **1.1** *wie eine ~, wie die ~ n* s t e h e n *dicht an dicht, ohne zu wanken u. zu weichen, unerschütterlich fest;* die Men- schen standen wie die ~ n; der Gegner stand wie ei- ne ~ **1.2** ~ m a c h e n *(gaunerspr.) als Komplize den Täter beim (Taschen)diebstahl abschirmen* **1.3** *(geh.)* in den ~ n unserer Stadt *in unserer Stadt;* der Präsident weilt seit gestern in den ~ n unserer Stadt; in den ~ n Roms, von Rom **1.4** eine ~ auf f ü h - r e n, h o c h z i e h e n *(fachspr.) bauen, errichten* **2** *Ab- grenzung, Abschirmung, Barriere;* du umgibst dich mit einer ~ von Vorurteilen; sein Mißtrauen errich- tet eine ~ zwischen uns **3** *(Sp.)* **3.1** *Kette von Spielern zur Absicherung des Tores bei Freistößen u. Freiwür- fen im Fuß- und Handball;* eine ~ aufstellen, bilden **3.2** *wie eine Mauer(1) gestaltetes Hindernis beim Pfer- despringen* [< mhd. mure < ahd. mura < lat. murus]
'Mau·er·ab·satz (m.; -es, -e) *Vorsprung an Mauern*
'Mau·er·ar·beit (f.; -, -en; meist Pl.) *Arbeit des Mauerns;* das ist eine umständliche, langwierige ~
'Mau·er·as·sel (f.; -, -n; Zool.) *braungrau glänzen- de, mit zwei hellgelben Fleckenreihen versehene Land- assel feuchter Lebensräume, die u. a. in Mauerritzen od. unter Steinen lebt: Oniscus asellus*
'Mau·er·bau (m.; -s; unz.) **1** *das Bauen einer Mauer* **2** *(Pol.) Bau, Errichtung der Berliner Mauer am 13. 8. 1961;* → a. *Mauer(1.0.1)*

か・べ「壁」⊖家の四方を囲いまた室内の隔てとす
るしきり。㊀新室の―「壁」草刈りに〔万二・三
五〕⊖和名抄〕三宝絵中七〕㊁「壁」の―「別称。
人を見つるかな〔後撰・恋〕⊖「夢」の―別称。
で〕「豆腐」の別称㊁⊖「女房ことば」
とえ。㊁「背庚申上」㊁無理に急いで事に当たるた
え。㊁「女腹切中」㊁出し抜けにものを言うたと
中の書〔ふみ〕「昔中国で、秦〔シン〕の始皇帝
いたものが、漢代に発見されたことから〕古文
孝経」の別称。「昔壁の中より求め出でたりけ
む書〔ふみ〕の名をば〔十六夜日記〕」

TAMARA HORAKOVA / EWALD MAURER

2RUN

(Installation at Neue Galerie, Graz)

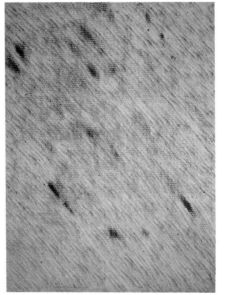

TAMARA HORAKOVA / EWALD MAURER

From: 2RUN 1987

TAMARA HORAKOVA & EWALD MAURER
Las Vegas (light phase)
2RUN, 1987, Installation at Neue Galerie, Graz)

TAMARA HORAKOVA / EWALD MAURER
Las Vegas (dark phase)
(From: 2RUN, 1987, (Installation at Neue Galerie, Graz)

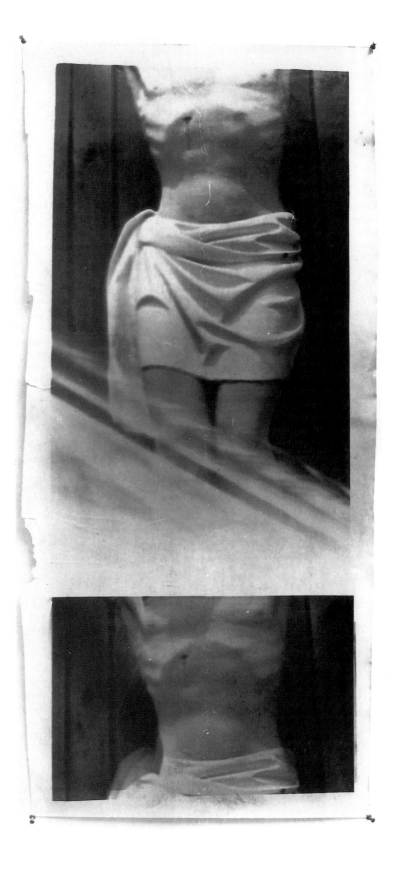

MICHAELA MOSCOUW

From: Blau wie Blut

MANFRED WILLMANN

From: Acht Steine für den Genfer See. No. 3

MANFRED WILLMANN

From: Acht Steine für den Genfer See. No. 4

MANFRED WILLMANN

From: Acht Steine für den Genfer See. No. 8

Michèle & Jean-Luc Tartarin

Jean-Luc en Michèle Tartarin werken voor de
stichting 'Metz pour la Photographie'.

Jean-Luc and Michèle Tartarin work for
the foundation 'Metz pour la Photographie'.

France
Frankrijk

A NEW MATURITY

RECENT TENDENCIES IN FRENCH PHOTOGRAPHY

EEN NIEUWE RIJPHEID

RECENTE TENDENZEN IN DE FRANSE FOTOGRAFIE

Het maken van een zinvolle en volledige dwarsdoorsnede van de enorme hoeveelheid veelvormige fotografische praktijken, is op dit moment in Frankrijk onmogelijk. Van een nieuwe rijpheid kan echter inmiddels gesproken worden. Welke betekenissen kunnen worden verbonden aan deze praktijken, die zich afspelen in de invloedssfeer van de jaren tachtig en, meer in het bijzonder, in relatie tot de essentie van het thema van de Biënnale; de verwarrende vermenging van invloeden?

Mogelijk kan een antwoord worden gevonden uitgaande van drie attitudes ten opzichte van de fotografie. Houdingen die tegengesteld zijn aan elkaar of die elkaar completeren.

Binnen één en hetzelfde medium liggen deze drie elkaar uitsluitende opstellingen besloten die ieder op hun eigen wijze vraagtekens plaatsen bij de gangbare representatiecodes.

Hun tegenstrijdige en heterogene scenografie geeft aanleiding tot een herbeschouwing van de tot dusver gehanteerde classificaties door de mate waarin zij in staat blijkt te zijn illusies op te roepen (met name de geënsceneerde fotografie zoals die ontstaat in de jaren zeventig).

Ze onderstreept bovendien de eerder gememoreerde verwarring en meer in het bijzonder wellicht het einde van de ons bekende genres. Deze kruisbestuiving moet het mogelijk maken tegen allerlei pogingen tot storing en verschuiving in, de fotografie te bevrijden van de rol die haar, met name in de jaren zeventig onder invloed van de Amerikaanse fotografie, is opgelegd, namelijk die van de humanistische en reportagefotografie.

—— De 'Fictions Colorées' en de 'Icônes', die PASCAL KERN sinds 1981 maakt, bevinden zich op het kruispunt van drie kunstvormen: de beeldhouwkunst, de schilderkunst en de fotografie. Deze vermenging veroorzaakt een betekenisverschuiving van het werk waardoor het probleem van de representatie nadrukkelijk aan de orde wordt gesteld. Het is moeilijk, zo niet onmogelijk het werk tot louter fotografisch produkt te reduceren. Benadering van het werk vanuit de optiek van de beeldende kunst biedt meer mogelijkheden tot verduidelijking van de elementen die gezamenlijk de inhoud bepalen. Het creëren van een 'installatie' is, om te beginnen, een adequate omschrijving van de werkwijze van Pascal Kern. Van een mise-en-scène kan in elk geval niet worden gesproken.

—— Kern voegt de voor zijn voorstelling benodigde elementen op nauwgezette wijze samen, gebruikmakend van het perspectief. De compositie van het 'stilleven' bestaat uit schroot, afvalmateriaal van het industriële tijdperk, waarop de tijd sporen van roest en oxidatie heeft nagelaten. Deze integratie van textuur en materie creëert een 'ruimte die de eigen tegenstellingen in zich verenigt'.

—— To make a meaningful and complete cross-section of the enormous quantity of multiform photographic practices is impossible in France at this moment. In the meantime, however, we can speak of a new maturity.

What significance can be attached to these practices which are being conducted within the atmosphere of the Eighties and, more particularly, in relation to the essence of the theme of the Biënnale – the confusing blend of influences?

We might find an answer by looking at three attitudes with regard to photography. Attitudes that are opposed to one another or that complement one another. These three mutually exclusive attitudes are enclosed within one and the same medium, and each in its own way questions accepted codes of representation. Their conflicting, heterogenous scenography leads to a reconsideration of the classifications employed up until now because of the extent to which it is apparently able to evoke illusions (particularly the type of staged photography that emerged in the Seventies).

Moreover it underlines the previously mentioned confusion and, more particularly, perhaps the end of the genres known to us. This cross-pollination should make it possible, in the face of all sorts of attempts at interference and postponing, to free photography from the role that, particularly during the Seventies with the influence of American photography, has been imposed on it, namely that of humanistic and reportage photography.

—— The 'Fictions Colorées' and the 'Icônes' that PASCAL KERN has been making since 1981 are located at the intersection of three art forms: sculpture, painting and photography. This blending brings about a deferral of the work's meaning, thereby expressly raising the issue of representation. It is difficult, if not impossible, to reduce the work to a purely photographic product.

Approaching the work from the art point of view offers more possibilities for clarifying the elements that go together to determine the content. To begin with, Pascal Kern's way of working can be adequately described as creating an 'installation'. In any event it is not a question of a mise-en-scène.

—— Kern painstakingly combines the elements he needs for his presentation, making use of perspective. The 'still life' is composed of industrial scrap materials on which time has left behind traces of rust and oxidation. This integration of texture and material creates a 'space which combines its own contrasts within itself'.

Pascal Kern justifiably speaks of a multitude of meanings in relation to his work. Although fiction is a crucial aspect, narrative codes never or only seldom play a role. The work registers the transitory and the imperishable in the same way as the traces arise on the objects. (The colours applied to the objects, which fulfilled an important function in earlier works, later fade away and intensify the intention of abandoning narrative form in favour of a meticulous and formal investigation into the relation between sculpture and painting). For Pascal Kern photography fulfills a supportive function: 'it functions as a mirror, or, more precisely, as an alliance between three- and two-dimensionality and vice versa; it is able to render spatial oppositions whilst retaining its own questioning'. This questioning goes much further than the issue of external form. The photoworks, whose framing is part and parcel of the problem, are always executed and represented life-size. The pictures are taken frontally from a fixed viewpoint. It is a question in fact of registrations, prints in which the front and back side, the multifariousness of a piece of sculpture, or rather the visible and the invisible as shown in the 'Icônes', are fixed within the flat surface of the photograph. The images are not at all sterile or without meaning. From the moment that the fictional element of the work emerges, the idea of disorder, so important for Pascal Kern, becomes visible on various levels.

—— In their first photoworks, made in 1984, PHILIPPE and SYLVAIN SOUSSAN use the old principle of photographically writing with light in the darkroom. These works are appropriately called 'Scriptolux'. The staging emerges from the darkness through the shaft of light and follows the logic of the 'Images Fabriquées'. This principle of fragmentary revelation, pursued logically, obliges them to play the role of inventor. It comes about through the artist's game with his doppelganger, the actor's with his shadow. This way of working is employed very sophisticatedly (Cibachrome, large format), so that its importance is strengthened without it falling into theatricality or into the pursuit of cheap effects, which is all too often the case in staged photography. The image is written in time; it is an attempt to record a precarious, uncertain situation. The working method is clearly visible in the works entitled 'Raccourci' from 1986/87, which are also included in the exhibition. The idea of halting at the image is realised by means of writing with light onto the sensitive plate.
—— Meanwhile Philippe Soussan is continuing the explorations on his own. In his current work it seems as though he has rejected the playful element that characterised the first 'Scriptolux'. He no longer makes self-portraits and installations, but now starts out from a motif. Busts are drawn, engraved or modelled and function as sketches that reach their ultimate completion only in photographic form.
Within the same oeuvre, his preoccupations lead him towards visual art, a more sculptural approach taking the material nature of things and figures as the main issue. These appear in the transparency of photographic notations. The bright lighting serves not only to colour the scene or even to compose it, as was previously the case, but to literally provide the subject with form and content.
The alluring aspect has meanwhile been replaced by a certain seriousness, which is strengthened by the use of black as a non-colour. The procedure has been refined so as to limit chance and to define the object before the picture is realized. In this most recent work a tendency towards the sublime can be seen, based on a certain degree of disenchantment, which is striking, considering the relation to fiction.

France
Frankrijk

Terecht spreekt Pascal Kern van een veelheid aan betekenissen in relatie tot zijn werk. Hoewel fictie in zijn werk een cruciale betekenis heeft, spelen narratieve codes niet of slechts zelden een rol. Het werk legt het vergankelijke en het onvergankelijke vast op dezelfde wijze als de sporen ontstaan op de objecten. (De op de objecten aangebrachte kleuren die een belangrijke functie vervullen in eerdere werken vervagen later en versterken de intentie de verhalende vorm te verlaten voor een nauwgezet en formeel onderzoek naar de verhouding tussen beeldhouw- en schilderkunst). Fotografie dient voor Pascal Kern als ondersteuning: 'het functioneert als spiegel of juister gezegd als verbinding tussen drie- en tweedimensionaliteit en andersom; het kan de ruimtelijke tegenstellingen weergeven met behoud van de eigen vraagstelling'. Deze vraagstelling gaat veel verder dan de problematiek van de uiterlijke vorm. De fotowerken waarvan de omlijsting als integrerend onderdeel deel van de probleemstelling vormt, zijn altijd gerealiseerd en op ware grootte afgebeeld. De opnames zijn frontaal vanuit een vast gezichtspunt gemaakt. Het gaat in feite om registraties, afdrukken waarop de voor- en achterzijde, het veelvoudige van het beeldhouwwerk, of nog beter het zichtbare en het onzichtbare zoals deze getoond worden op de 'Icônes', zijn vastgelegd binnen het platte vlak van de foto. De voorstellingen zijn allerminst steriel of zonder betekenis. Vanaf het moment dat de fictie in het werk naar voren treedt, wordt het idee van de wanorde, zo belangrijk voor Pascal Kern, zichtbaar op verschillende niveaus.
—— In hun eerste fotowerken, gemaakt in 1984, maken PHILIPPE en SYLVAIN SOUSSAN gebruik van het oude principe van het fotografisch schrijven met licht in de donkere kamer. Deze werken dragen zeer terecht de naam 'Scriptolux'. De enscenering treedt vanuit het donker door de bundel licht naar voren en volgt de logica van de 'Images Fabriquées'. Dit principe van de, logischerwijs, fragmentarische onthulling, verplicht hen de rol van ontdekker te spelen. Het komt tot stand vanuit het spel van de kunstenaar met zijn dubbelganger, van de toneelspeler met zijn schaduw. Deze werkwijze wordt heel geraffineerd toegepast (cibachroom, groot formaat), waardoor het belang ervan wordt versterkt, zonder te vervallen in theatraliteit of in het najagen van goedkope effecten, waarvan maar al te vaak sprake is in de geënsceneerde fotografie. De voorstelling wordt in de tijd geschreven, het is een poging om een wisselvallige, onzekere situatie vast te leggen. De wijze van werken is heel duidelijk zichtbaar in de werken getiteld: 'Raccourci' uit 1986/87, ook te zien op de tentoonstelling. Het idee van het op beeld tot staan brengen wordt gerealiseerd door het schrijven met licht op de gevoelige plaat.
—— Inmiddels zet Philippe Soussan het onderzoek alleen voort. In zijn huidige werk lijkt het alsof hij het speelse karakter dat eigen was aan de eerste 'Scriptolux' heeft verworpen. Hij maakt geen zelfportretten en installaties meer, maar gaat nu uit van een motief. Borstbeelden worden getekend, gegraveerd of geboetseerd en fungeren als schetsen die pas in fotografische vorm hun uiteindelijke voltooiing hebben bereikt.
Binnen hetzelfde oeuvre leiden zijn preoccupaties hem naar de beeldende kunst in een meer sculpturale benadering met het stoffelijke karakter van dingen en gedaanten als inzet. Deze verschijnen in de transparantie van de fotografische optekening. De heldere verlichting dient niet slechts om het tafereel te kleuren of zelfs samen te stellen, zoals voorheen, maar om letterlijk vorm en inhoud te geven aan het onderwerp.
Het verleidelijke element heeft inmiddels plaatsgemaakt voor een zekere ernst, die versterkt wordt door het gebruik van zwart als non-kleur. De werkwijze wordt verfijnd met als doel het toeval te beperken en het onderwerp af te bakenen, voordat de opname wordt gerealiseerd.
In dit meest recente werk is een streven naar het verhevene zichtbaar, berustend op een zekere mate van ontgoocheling, wat opmerkelijk is, gezien de verhouding tot de fictie.
—— Voor JOACHIM BONNEMAISON is fotografie heel letterlijk 'de materialiserende handeling'. Vanaf het begin heeft hij de positie van uitvinder ingenomen: in de landschapstriptieken uit Bourgondië (1981), in zijn magistrale 'Trap van Gabriël' in Dijon (1984), in het ontwerp van de Camera Panoptica dat heeft geleid tot de serie 'D'un mouvement l'autre: la mer

à ciel ouvert et le regard', waarvan hier enkele voorbeelden worden gegeven. De wil tot materialisering van elementen van het landschap vormt de drijfveer van een voor hem essentieel esthetisch onderzoek naar de continuïteit van de ruimte, uitgaande van een nieuwe ervaring daarvan. De gebruikelijke codes ten aanzien van de representatie en het perspectief worden daarbij ter discussie gesteld. Uitgaande van hetzelfde motief, maakt hij een aantal uitsnedes, waarbinnen de kleuren van het landschap zich op natuurlijke wijze lijken te mengen in een traag, maar voortdurend proces, waarvan Bonnemaison het moment van stopzetting bepaalt. Deze panoramische visie van wat plaatsvindt in ruimte en tijd leidt tot een overvloed van wat latent in de werkelijkheid aanwezig is.

'De ruimte wordt in delen vastgelegd op een draaiende cilinder en niet meer op een plat vlak. Zo worden de ideeën over continuïteit, globaliteit, ruimte-tijd-verhouding, visueel geheugen, gezichtpunt, gebundeld licht, enz. zichtbaar gemaakt. Het is een vorm van optekening die muzikaal wordt en per definitie ruimtelijk, evolutionair, herhalend is. Deze nieuwe fotografie, zonder onderbreking of interpunctie in het picturale verhaal, is verwant aan het fresco'. Het zijn deze, door de fotograaf gekozen elementen, die zijn ingrepen karakteriseren.

—— Op dit moment is Bonnemaison nog bezig aan een werk, getiteld 'Course du Fou', dat op de komende tentoonstelling te zien zal zijn. Hierbij gaat hij uit van de symboliek van het schaakspel en van de verhalende en schizofrene problematiek van het tegenover elkaar staande zwart en wit. In dit nieuwe werk is in versterkte vorm de voortzetting zichtbaar van datgene waar Bonnemaison vanaf het begin naar heeft gestreefd: het verlangen het illusionisme te ontstijgen en tegelijkertijd het bijna onmogelijke verlangen de ruimte weer te geven op een plat vlak met gebruikmaking van de onveranderlijkheid van het vaste fotografische gegeven en van de daaraan verbonden denkbeelden.

France
Frankrijk

—— For JOACHIM BONNEMAISON, photography is literally 'the action of materialisation'. From the start he has occupied the position of inventor: in the landscape triptychs from Burgundy (1981), in his masterly 'Ladder of Gabriel' in Dijon (1984), in the design of the Camera Panoptica that led to the series 'D'un mouvement l'autre: la mer à ciel ouvert et le regard', some examples of which are shown here.

The wish to materialize elements of the landscape forms the incentive for what he sees as an essential aesthetic investigation of the continuity of space, based on a new way of experiencing it. The customary codes in respect of representation and perspective are put up for debate. Starting always with the same design, he makes a number of cropped views where the colours of the landscape seem to merge naturally in a slow, but continuous process, whose moment of stopping is determined by Bonnemaison. This panoramic vision of what occurs in space and time leads to a profusion of what is latently present in reality.

'Space is recorded in sections on a revolving cylinder and no longer on a flat surface. Thus ideas about continuity, globality, space-time relations, visual memory, point of view, light rays, etc. are made visible. It is a form of notation which becomes musical and is by definition spatial, evolutionary, repeating. This new photography, without interruption or punctuation in the pictorial narrative, is related to the fresco.' It is these elements, chosen by the photographer, that characterise his interventions.

—— At the moment Bonnemaison is still busy with a work entitled 'Course du Fou' which will be shown in the forthcoming exhibition. In this he uses the symbolism of the game of chess and of the narrative and schizophrenic problem of black being opposite to white. This new work reveals an intensified continuation of that which Bonnemaison has striven towards since the beginning: the desire to transcend illusionism and at the same time the almost impossible desire to render space on a flat surface by using the immutability of the fixed fact of photography and of the notions associated with it.

SYLVAIN & PHILIPPE SOUSSAN

Racourci no. 3, 1987

(100 x 100 cm)

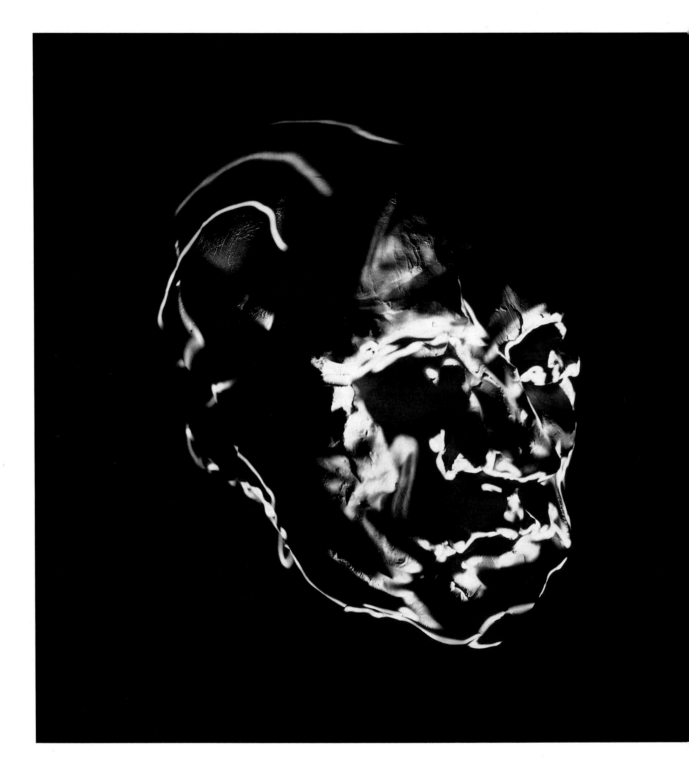

PHILIPPE SOUSSAN
untitled, 1988
(200 x 100 cm)

JOACHIM BONNEMAISON

Kerpont Enes, Ciel de Plomb I, 1986

(107 x 82 cm)

Courtesy Galerie Michèle Chomette, Paris

JOACHIM BONNEMAISON

Ot ar Faunn, Retenue IV, 1986

(82 x 107 cm)

Courtesy Galerie Michèle Chomette, Paris

Preceding pages:

PASCAL KERN

Fiction Colorée, 1987

(2 x 105 x 125 cm)

Courtesy Galerie Zabriskie Paris / New York

PASCAL KERN

Fiction Colorée, 1987

(125 x 105 cm)

Courtesy Galerie Zabriskie Paris / New York

Ute Eskildsen

Ute Eskildsen is conservator van de Fotografische Sammlung van het Folkwang Museum in Essen.

Ute Eskildsen is curator of the Fotografische Sammlung at the Folkwang Museum, Essen.

OVERWHELMING IMAGERY

A TENDENCY TO PATHOS IN WEST GERMAN PHOTOWORKS OF THE 80S

West Germany
West-Duitsland

OVERWELDIGENDE BEELDEN.

DE NEIGING TOT PATHOS IN FOTOWERKEN VAN DE JAREN '80 IN WEST-DUITSLAND

Fotowerken: deze benaming heeft voor werkstukken van fotograferende kunstenaars inmiddels ingang gevonden.
Fotografen hebben daarentegen werk aan het vinden van plaatsen voor de presentatie van foto's. De voorkeur wordt tegenwoordig gegeven aan het unieke, de geringe oplage wordt op prijs gesteld. Certificaten voor het originele karakter, het veredelde en in het archief houdbare produkt, respectievelijk een garantie voor de vervanging van achteruitgaande kleuren- of plastic foto's zijn geen bijzonderheid meer.
Met het afnemen van de alledaagse gebruikswaarde van de fotografie stijgt de belangstelling voor haar instandhouding en voor haar geschiedenis, waardoor ze naar het behouden terrein van de galerieën en musea, de culturele conservering wordt overgebracht.
De fotografische opname werd spoedig na haar uitvinding tot matrijs ontwikkeld; van toen af aan konden veelvuldig gelijkwaardige beelden worden gekopieerd. Die factor van vermenigvuldiging, het resultaat van dit optisch-technisch gegeven, bepaalt het karakter van het medium en verzekerde fotografie lange tijd van een positie in de marge van de traditionele beeldende kunst.
Sindsdien zijn bijna 150 jaren verstreken, jaren van verfijning van de fotografische technieken en processen en perfectionering van de reproductiemogelijkheid. Het nut van het medium, als gerationaliseerd afbeeldingsprocédé, als contrôle- en propagandamiddel had men al in de 19e eeuw beseft. De ontwikkeling van fotografische beeldprestaties staat in nauw verband met de toenemende gebruikswaarde. De artistieke discussie rond de fotografie bleef daarentegen tot de eeuwwisseling geconcentreerd op de sinds haar uitvinding ontvlamde strijd. De positivisten bejubelden de werkelijkheidsgetrouwe weergave, die aan de tegenstanders het argument voor de afwijzing van een kunstzinnige toepassing van de fotografie verschafte.
—— 'Datgene, wat gebeurt, heeft zo'n voorsprong op onze mening, dat we nooit achterhalen en nooit te weten komen, hoe het er werkelijk uitzag'. Rainer Maria Rilke betrok zijn woorden niet op visuele voorstellingen, maar ze raken een centraal probleem van de fotografische praktijk en haar waardering. De meest directe van alle afbeeldingstechnieken stond voortdurend onder de druk, méér te moeten zijn dan een hulpmiddel voor het produceren van beelden. Een conflict tussen de pretentie van bewijsmiddel en esthetische conventies. Met dit conflict leven de traditionele fotografen bij voortduring, een conflict dat gevoed wordt door hun eigen onduidelijke stellingname, een sluimerend minderwaardigheidsgevoel en een veronderstelde verplichting zichzelf te moeten legitimeren. Een vermeend identiteitsprobleem, omdat het betrekking heeft op een procédé. Fotografie is een procédé voor het maken van beelden, dat afhankelijk is van de ontwikkeling van wetenschap en techniek maar waarvan de resultaten worden bepaald door het denken van degene die het procédé gebruikt.
En publieke reserve is nog in geen enkel medium een uitgangspunt voor autonome prestaties geweest, het maakt het werken er bovendien niet bepaald gemakkelijker op.
De zogenoemde artistieke tendenzen in de geschiedenis van de Duitse fotografie zijn steeds gekenmerkt door 'verzoeningspogingen' met de beeldende kunst. De geformuleerde voorstellingen en hun kunstzinnige praktijk onderscheiden zich overeenkomstig de specifieke historische constella-

—— The term 'photowork' is generally used now for works by artists who use photography. Photographers, on the other hand, are having difficulty finding places to present their work. There is a preference today for the unique, and great respect is paid to the limited edition. It is no longer exceptional to see certificates as to a product's originality, finish and archival quality, or a guarantee that deteriorating colour photographs and prints on plastic paper will be replaced.

With the decline in photography's everyday use-value, the interest in its preservation and its history is increasing, resulting in it being transferred to the safe terrain of the galleries and museums, of cultural conservation.

Very soon after its invention the photograph had become a matrix, from which multiple copies of equal value could be made. This multiplication factor, which was the result of optical-technical circumstances, has determined the nature of the medium and for a long time assured photography a marginal position in relation to traditional visual art.

Since then, nearly 150 years have passed, years which saw the refinement of photographic techniques and processes and the perfection of its reproducability. The usefulness of the medium, as a rationalized technique of representation and as a means of control and propaganda, had already been recognised in the 19th century. The development of photography's visual achievements is closely connected to its increasing usefulness. The artistic debate with photography, however, remained until the turn of the century focussed on the conflict that had raged since its invention. The positivists applauded photography's truth-to-nature, which provided their opponents with the argument for rejecting an artistic application of photography.

—— 'That which happens has such a head-start on our thoughts that we can never catch up with, and never find out, what it really looked like.' Rainer Maria Rilke was not talking about visual representations, but he touches on a crucial problem of photographic practice and its appreciation. The most direct of all techniques of representation was continually under pressure to be more than just an aid to producing images. There was a conflict between its claim as evidence and aesthetic conventions. Traditional photographers continuously live with this conflict, which is aggravated by their own lack of status, a latent sense of inferiority and a supposed obligation to have to legitimise themselves. It is a problem of identity for an elite, since it relates to the technical aspect of the photographic medium. Photography is a technique for making images, whose development is dependent on science and technics, but whose results are determined by the thought of those who make use of the technique. In no medium have autonomous achievements been guided by the reticence of the public, even though it doesn't make the work any easier.

What are known as the artistic trends in the history of German photography have always been characterized by 'attempts at reconciliation' with visual art. The ideas formulated and their artistic practice vary according to specific historical conditions.

A photograph exists because an actual object has existed at a particular time and place. The photographic image is merely a fragment, isolated from a spatial-temporal continuum. The artistically intended photograph, appropriated from reality and emphasizing abstract, visual and creative potentialities, also refers to actual conditions. Images and the contemplation of images develop in relation to social life and individual experience, determined by cultural norms and existing world views.

—— From Germany
1913 '...Anyone who wants to make the photographic process subservient to artistic aims, must above all strive to influence these utterly unartistic qualities of the technique of photography, that all too naturalistic faithfulness...'. Willi Warstatt
1927 'The phenomenon of photography, however, is not fully appreciated if it is just classified either as a technique for making notes on reality, or as a means of scientific research, or as a record of fleeting events, or as the basis for reproduction techniques, or as art. The technique of photography cannot be compared with the optical means of expression known so far. Its results are likewise incomparable, especially when it relies on its own possibilities.' Laszlo Moholy-Nagy
1952 'Only photography that is experimentally inclined will be able to fulfill all the possibilities that are appropriate for the forming of our visual experiences in photographic terms. A new photographic style is one of the demands of our age.' Otto Steinert
1960 'The basic methods of modern photography correspond with the fundamentals of thought, if only by virtue of the fact that modern photography makes a selection, that it proceeds through differentiation and distinguishing.' Karl Pawek
1980 'The problem with current photography is the artist's passive, contemplative attitude. Its aesthetic basis is the theory of 'pure vision', that is to say, the superstition that via this purer way of seeing or through a change in viewing habits there would be a short-cut, an easier way, to insight.' Herbert Molderings

—— Remarks taken out of context – indications of changes in the way we experience and deal with photography? Rather, fundamental standpoints which the prevailing ideologies seldom perceived as existing at different times.
—— The decisive insights regarding the creative involvement with photography and its reproductive uses were discovered in Germany during the Twenties. The notion that the 'new' media of photography and film might be able to change the elitist concept of art was very quickly taken up by the mass media. But the hope for a democraticised culture had underestimated the power of photography used for a particular goal. The expanding communication media accelerated the everyday consumption of images, but at the same time blocked a selfevident interest in photography in the public cultural arena. Not only were existing photo archives neglected, but also the whole discussion concerning the photographic image and the calculated use that was made of it. Today we are gradually drawing closer to a differentiated view of photographic achievements.
—— The title of this Biennale suggests a European movement. Judging by the large amount of photographic events, publications and exhibitions, and by the growing international demand, this would seem to be correct.
At the end of the Eighties the 'shameful border' between culture and commerce in Western industrial countries has disappeared at last. Does this mean that the 'trivial' medium of photography has finally been integrated into the wider field of art?
Since the photograph in terms of everyday use has become pretty much rendered out of date by the electronic image, there finally appear to be chances for the fulfillment of a long-established desire – the prospect of a future forum, a place in the museum.
In fact there is a strong increase in the appreciation of photographic works in Europe at the moment. Culture is recognised as conducive to one's image, since with such an over-abundance of products it is hardly possible any longer to advertise objects. A greedy market competing strongly for big sales also works to photography's advantage.
—— The prognoses of German media theoreticians of the Twenties have come to full fruition in the Eighties. Little attention has been paid until now to the part played by technological visual media in the loss of intensity of our perceptions, or else it has been overestimated by those who blame the media for their cultural pessimism.
A reaction to the rise in the consumption of photos and the naive relationship to photographic representation was evident in the conceptual art of the Seventies, where the photographic image was employed as a means of relativising the individual image and of questioning relations of meaning. Artists defined the technical process purely and simply as a means to an end, thus re-opening and shifting the rigid debate about photography.

tie. Een foto bestaat, omdat een reëel object op een bepaalde tijd en een bepaalde plaats heeft bestaan. Het fotografische beeld is slechts een fragment, geïsoleerd uit een ruimtelijk-tijdelijk proces. Ook de kunstzinnig georiënteerde foto - een toeëigening van de werkelijkheid met accentuering van de abstracte, visuele en creatieve mogelijkheden - verwijst naar reële condities. Beelden en de beschouwing van beelden ontwikkelen zich in samenhang met het maatschappelijk leven en de individuele ervaring, bepaald door culturele normen en bestaande wereldbeschouwingen.

—— Uit Duitsland
1913 '...Eenieder, die het fotografisch procédé dienstbaar wil maken aan artistieke doeleinden, moet er vóór alles naar streven, die volstrekt onartistieke eigenschappen der fotografische techniek, die al te naturalistische getrouwheid te beïnvloeden...' Willi Warstatt.
1927 'Het fenomeen fotografie ondervindt echter geen waardering als het óf als middel tot wetenschappelijk onderzoek óf als het vastleggen van vervluchtigende gebeurtenissen óf als basis voor reproductietechnieken, óf als kunst wordt geclassificeerd. Het fotografische procédé is onvergelijkbaar met de tot nu toe bekende optische uitdrukkingsmiddelen. Het is het ook in zijn resultaten: daar, waar het op zijn eigen mogelijkheden steunt'. Laszlo Moholy-Nagy.
1952 'Echter slechts een experimenteel ingestelde fotografie zal alle mogelijkheden kunnen ontdekken, die voor de vormgeving van onze visuele ervaringen in een foto geschikt zijn. Een nieuwe fotografische stijl is een eis van onze tijd. Otto Steinert
1960 'De grondvormen van de methode van moderne fotografie komen overeen met de grondvormen van het denken, alleen al daardoor, dat de moderne fotografie een selectie verricht, dat zij differentiërend en distingerend te werk gaat'. Karl Pawek
1980 'De ellende met de huidige fotografie is de passief- contemplatieve opvatting van de kunstenaar. Haar esthetische basis is de theorie van het 'zuivere zien', dat wil zeggen het bijgeloof, dat er via dat loutere zien of de verandering van de kijkgewoonten een kortere, een gemakkelijke weg naar inzicht zou zijn'. Herbert Molderings

—— Uit hun verband gerukte uitlatingen: aanwijzingen voor door de ervaring geconditioneerde veranderingen in het omgaan met fotografie? Eerder principiële posities van het denken, die door overheersende ideologieën als bestaande ongelijktijdigheden zelden worden waargenomen.
—— De beslissende inzichten omtrent het beeldend omgaan met de fotografie en haar gereproduceerde toepassing werden in Duitsland gedurende de jaren twintig ontwikkeld. Het idee met de 'nieuwe' media foto en film het elitaire begrip kunst te kunnen veranderen, werd heel gauw door de massamedia geannexeerd. De hoop op een gedemocratiseerde cultuur had de macht van het doelgerichte gebruik van foto's onderschat. De expansieve communicatiemedia versnelden de alledaagse beeldconsumptie maar blokkeerden gelijktijdig een vanzelfsprekende belangstellling voor de fotografie op het publieke terrein van de cultuur. Verwaarloosd werden niet alleen bestaande foto-archieven, maar de gehele discussie rond de foto en het uitgekiende gebruik dat ervan gemaakt werd.
Slechts heel langzaam naderen wij een gedifferentieerde beschouwing van fotografische prestaties.
—— De titel van deze biënnale suggereert een Europese beweging. Gemeten naar het grote aantal fotografische evenementen, publicaties en tentoonstellingen, bij een groeiende internationale vraag, lijkt dit te kloppen. Aan het eind van de jaren tachtig is in de Westerse industrielanden de 'schaamgrens' tussen cultuur en commercie definitief weggevallen. Betekent dit een definitieve integratie van het 'triviale' medium fotografie in het geheel van de kunst?
Nadat de foto op alledaags gebied nagenoeg door het elektronische beeld werd achterhaald, lijkt het langdurig verlangen eindelijk reële kansen te hebben: het toekomstige forum, de verblijfplaats in het museum tekent zich af.
Inderdaad stijgt in Europa thans de waardering van fotografische werken. Cultuur wordt als bevorderlijk voor het image gezien, want bij een te groot aanbod valt er met het object nauwelijks nog reclame te maken. Een gunstige wind, ook voor de fotografie, op een gretige markt in een harde concurrentie met een grote afzet.
—— De prognoses van de Duitse mediatheoretici uit de jaren twintig zijn in de jaren tachtig geheel uitgekomen. Het aandeel van de technische beeldmedia aan het intensiteitsverlies van onze waarneming is tot nu toe nog weinig in aanmerking genomen, of echter door diegenen overschat, die hun cultuurpessimisme aan het medium verbinden.
Een reactie op de gestegen fotoconsumptie en de naïeve verhouding tot de fotografische weergave vond plaats in de conceptuele kunst van de jaren zeventig. Hier werd het fotografische beeld ter relativering van het enkel-

West Germany
West-Duitsland

voudige beeld en ter peiling van betekenisverbanden gebruikt. Kunstenaars definieerden het technische procédé ondubbelzinnig als hulpmiddel, wat de verstarde discussie over fotografie opende en verplaatste.

—— De fase van deze analytisch georiënteerde fotopraktijk heeft de voorwaarden geschapen voor een constructieve omgang met fotobeelden en de tendens tot enscenering ingeleid.

In de pluralistische verwarring van de jaren tachtig, een tendentieel conservatieve cultuurfase, wordt de continuïteit door speculatieve bespiegelingen verstoord. In het postmoderne slotlied van het rationele en de huidige appreciatie van het mysterieuze kunnen ook die kunstuitingen die bij voortduring geïnteresseerd zijn in de definitie van onderlinge verbanden, zich slechts met moeite aan een zuiver esthetische consumptie onttrekken.

—— Van deze koers wijken de drie inzendingen uit de Bondsrepubliek nu juist af. Drie auteurs, die in een thematisch referentiekader werken, aan reële constellaties refereren en dit sedert meer dan tien jaar. Ze tonen projecten die zich op de kracht van het beeld concentreren en er de beschrijvende functie aan onttrekken. RUDOLF BONVIE, ELFI FRÖHLICH, MICHAEL SCHMIDT: drie verschillende biografieën met het gemeenschappelijke kenmerk, dat zij zonder fotografische opleiding voor dit beeldmedium hebben gekozen. Ze presenteren werken uit de laatste twee jaar, uitgedacht in Berlijn en Keulen, daar en in andere Europese plaatsen gefotografeerd. Totaal verschillende motieven in zwart-wit en kleur, meerdere malen belicht of direct vergroot tot enorme afmetingen. Voor Bonvie is de fotografische opname de grondstof, voor Fröhlich en Schmidt is ze het eigenlijke ontstaansmoment van het beeld. Daarbij passend is voor de twee laatstgenoemden de compositie, de samenhang van de beelden een wezenlijk deel van het als project ontworpen werk. Elfi Fröhlich kiest de beeldsequentie, Michael Schmidt een variabel ritme van enkelbeeld, drieluik en reeks.

Wat deze inzendingen verbindt is de accentuering van de zintuigelijke ervaring, verbonden met een neiging tot het verhevene.

—— Drie inzendingen van thematisch gewicht (kerncentrales, wapenstilstand, geloofwaardigheid) in de ernstige poging, dit niet gedistantieerd van de eigen ervaringswereld aanschouwelijk te maken. Het openleggen van de eigen, conflictueuze emotie als fundamenteel motief voor een uiting, leidt de auteurs naar de geconcentreerde uitdrukking daarvan in het beeld zelf. De provocatie van het suggestieve en het vertrouwen in de eigen kracht van de beelden is verleidelijk, een koerswijziging van de esthetische ingrepen. Bonvie, Fröhlich en Schmidt schuwen de grenzen van het estheticisme en het pathetische niet, maar uiten daarin hun eigen, indifferente fascinatie. Geen van deze werken streeft naar een te generaliserende verduidelijking van het thema, maar provoceert de subjectieve intensiteit van de beschouwing. Deze beelden weigeren de voorstelling te verklaren, ze associëren begrippen, gevoelens en herinneringen. Ze zijn metaforen van de jaren tachtig, geformuleerd door kunstenaars die de aan voorwaarden onderworpen beelden kennen, maar hun eigen hoop erdoor verzekeren.

West Germany
West-Duitsland

MICHAEL SCHMIDT
Installation photo

—— The phase of this analytically oriented practice of photography has created the conditions for a constructive involvement with photographic images and has lead to the tendency to staging.

In the pluralistic confusion of the Eighties, a cultural period marked by a tendential conservatism, continuity has been disturbed by speculation. The postmodern swan song of rationality and the current liking for the mysterious means that even those artistic expressions that are mainly interested in defining mutual connections are finding it difficult to escape being consumed purely aesthetically.

—— It is precisely here that we find the change of course represented by the three exhibiting artists from Germany. Three artists who for more than ten years have been working in a thematic frame of reference relating to actual conditions. They show projects that concentrate on the power of the image, while removing its descriptive function. RUDOLF BONVIE, ELFI FRÖHLICH, MICHAEL SCHMIDT: three different biographies with the common characteristic that they have chosen the medium of photography without having had a photographic education. The works they are presenting are from the last two years, conceived in Berlin and Cologne, and photographed there and in other places in Europe. Totally different purposes, in black and white and colour, superimposed or directly printed in large formats.

For Bonvie the raw material is the photographic picture, while for Fröhlich and Schmidt it is the moment the picture is actually created. It is also appropriate that, for the latter two, the composition, the way the images correspond, is an essential part of the work and its function as a project. Elfi Fröhlich uses sequences of pictures, Michael Schmidt a variable rhythm of single picture, triptych and series.

What unites these contributions is the emphasis on sensual experience, connected with with a tendency to the sublime. Three contributions with heavy themes (atomic power stations, armistice, credibility) and a serious attempt to clearly show the connection with their own world of experience. The laying bare of one's own conflicting emotions as the basic motive for a statement leads the artists to make a concentrated expression of this in the picture itself. The provocation of the suggestive and the faith in the power of images is seductive, representing a change of aesthetic direction. Bonvie, Fröhlich and Schmidt do not shrink from the limits of aestheticism and the pathetic, but express therein their own, indifferent fascination. None of these works strives for an over-generalising clarification of the theme, but provokes the subjective intensity of viewing. These pictures refuse to explain what is represented; they produce associations, feelings and memories. They are metaphors of the Eighties, formulated by artists who recognise the limited effect of images, but thereby ensure their own hopes.

RUDOLF BONVIE

Rhapsodie Nucléaire 2211/II, 1987

(127 x 242 cm)

Courtesy Galerie Wilma Folksdorf, Hamburg

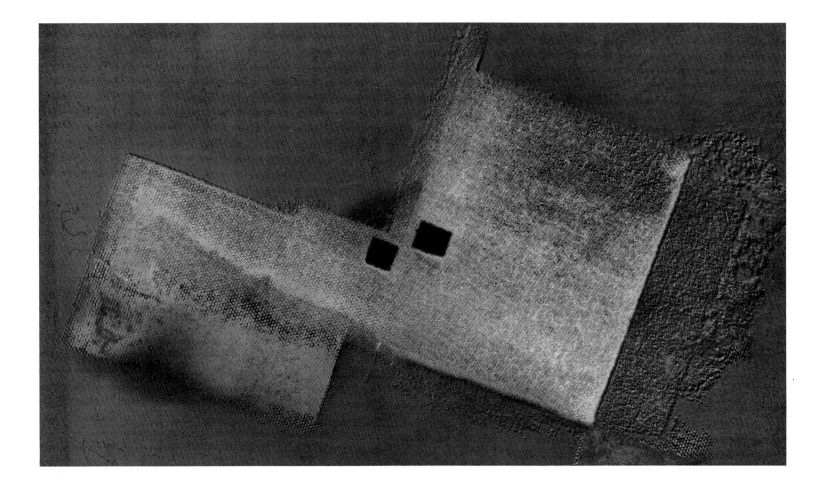

RUDOLF BONVIE

Rhapsodie Nucléaire 3472, 1987

Courtesy Galerie Wilma Folksdorf, Hamburg

RUDOLF BONVIE

Rhapsodie Nucléaire 2211/I, 1987

Courtesy Galerie Wilma Folksdorf, Hamburg

MICHAEL SCHMIDT

From: Waffenruhe, 1987

MICHAEL SCHMIDT

From: Waffenruhe, 1987

MICHAEL SCHMIDT

From: Waffenruhe, 1987

From: Waffenruhe, 1987

MICHAEL SCHMIDT

From: Waffenruhe, 1987

ELFI FRÖHLICH

From: Inszenierung der Authentizität, 1987

ELFI FRÖHLICH

From: Inszenierung der Authentizität, 1987

ELFI FRÖHLICH

From: Inszenierung der Authentizität, 1987

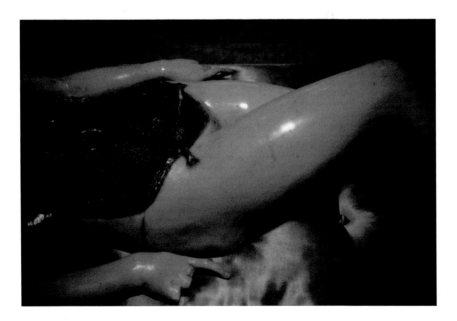

ELFI FRÖHLICH

From: Inszenierung der Authentizität, 1987

Alexandra Noble

Alexandra Noble was tot voor kort verbonden aan de Londense Photographers' Gallery en maakt nu tentoonstellingen voor het South Bank Centre.

Alexandra Noble was until recently connected with the Photographers' Gallery, London and now curates exhibitions for the South Bank Centre.

STRIJDBARE STRATEGIEËN.
VROUWEN IN DE BRITSE FOTOGRAFIE

Great Britain
Groot-Brittannië

'Wat gebeurt er wanneer een vrouw het overheersend mannelijk voorrecht van de blik overneemt en voor zichzelf een plaats schept als een subject dat kijkt – dat bekijkt, terugkijkt, ziet en doorziet – binnen het schema van de traditionele sociale waarden dat het patriarchale denken in stand houdt? Voor een vrouw is het hanteren van een camera als diefstal van deze macht, een opkomen voor het recht om uit te gaan van de eigen bekwaamheid tot observatie en beoordeling in plaats van het ondersteunen van andermans uitoefening van deze functies.'[1]

—— Een deel van het werk dat de afgelopen jaren in Groot-Brittannië sterke reacties uitlokte, werd gemaakt door vrouwelijke fotokunstenaars. Het werk van Yve Lomax en Mari Mahr staat hierin dan ook niet alleen. Deze openingsbiënnale vormt een gepast moment voor het tonen, van hun beider meest recente werk, op een tussentijds punt in hun carrière. Het geselecteerde werk illustreert de complexiteit van hun artistieke praktijk. Een praktijk die het afzonderlijke beeld vermijdt ten gunste van een seriële, narratieve benadering die de documentaire traditie uitdaagt. Een traditie die de foto naar voren heeft geschoven als een onweerlegbaar bewijs van een objectieve waarheid over de ons omringende wereld. De fotodocumentaire wordt aan het eind van de jaren '60 en in de jaren '70 hevig aangevallen, met name in het tijdschrift Screen. De betekenis van fotografische beelden werd binnen de discussie rond probleemstellingen met betrekking tot representatie, ideologie en politiek gebracht. Hoewel zowel Lomax als Mahr in contact kwamen met deze opvattingen is het resultaat van hun handelen verschillend.

—— MARI MAHR was oorspronkelijk als fotojournaliste werkzaam in Hongarije. In Engeland begon zij in de jaren '70 onder invloed van Victor Burgin en Derek Drage die waren verbonden aan de 'Polytechnic of Central London' vraagtekens te plaatsen bij haar vastomlijnde ideeën omtrent hoe een foto, zowel esthetisch als technisch gezien, gemaakt moest worden. De theorie werd door haar eigenlijk vooral aangewend om de mogelijkheden tot visuele exploratie binnen haar werk te vergroten, hoewel series uit eind jaren '70 ook tekst bevatten. Als gevolg van haar studie aan de PCL begon Mahr in sequenties te werken. Sequenties die altijd naar zichzelf en naar de subjectiviteit van het individu verwijzen. Toch houdt zij zich, net als Yve Lomax, bezig met de implicaties van het narratieve en de zogenaamde fotografische 'waarheid'. Vanaf het begin van de jaren '80 ('Lili Brik', 1982; 'Idle Times' en 'Once Upon There Was A Soldier', 1985/6, alsmede de hier getoonde foto's) gaat het in haar werk om de herschepping van beleefde of verzonnen gebeurtenissen. Zij noemt zichzelf een fotografe van stillevens waarmee ze haar behoefte tot het volledig beheersen van het beeldende proces en tot het vermijden van expressieve beperkingen aangeeft. Haar taferelen bezitten ingewikkelde proceslagen, transformaties en symboliek en worden gekenmerkt door een onvermoeibare zoektocht naar nieuwe visuele oplossingen. Haar beelden tonen een constructie van objecten uit de werkelijkheid die worden afgezet tegen een fotografische achtergrond. Hierdoor bestaat er geen hiërarchisch onderscheid tussen de beide vlakken waardoor de toeschouwers in staat gesteld worden te ontsnappen aan de ruimtelijke begrenzingen van de lijst. Deze gelaagdheid van afbeeldingen binnen afbeeldingen is wezenlijk voor het doel dat zij nastreeft, het weergeven van de complexiteit van een innerlijk leven: dromen, fantasieën en herinneringen. Haar fotoverhalen zijn nooit éénduidig maar ze bestaan net als herinneringen uit gelijktijdig optredende, gefragmenteerde en ongelijksoortige vertellingen, die elk afzonderlijk een 'waarheid' bevatten maar tegelijkertijd deel uitmaken van eenzelfde 'fictie'. Voor Mahr is deze schijnbare tegenstelling niet onverenigbaar.

OPPOSITIONAL TACTICS

WOMEN IN BRITISH PHOTOGRAPHY

—— 'What happens when a woman takes over the predominantly male prerogative of the look to create a place for herself as a subject who looks – who looks at, looks back, sees and sees through – within the scheme of traditional social values that patriarchal looking maintains? For a woman to use a camera is a kind of theft of this power, an assertion of the right to value her owm capacifier of observation and judgment, rather than simply to sustain someone else's exercise of these functions'.[1]

—— Some of the most provocative work to appear in recent years in Britain has been initiated by women photo-artists. The work of Yve Lomax and Mari Mahr is no exception and their inclusion in this inaugural Biënnale provides a timely opportunity to present their latest work of at an interim point in their respective careers. The work selected illustrates the complexities of their working practice which eschews the single image in favour on a sequential, narrative approach challenging a documentary tradition which has promoted the photograph as providing irrefutable evidence and objective truth about the world around us.

Photodocumentary practice came under seige during the late 1960s and 1970s particularly through the pages of Screen magazine. The meaning of photographic imagery was contextualized within debates on representation, ideology, and politics. Both Lomax and Mahr came into contact with these issues but with different results.

—— MARI MAHR worked initially as a photojournalist in Hungary, but during the 1970s she came to question her set ideas on how a picture should be taken, both technically and aesthetically while under the influence of Victor Burgin and Derek Drage at the Polytechnic of Central London. Her adoption of theory has mostly been used to enhance visual exploration within her work, although series in the late 1970s did include text. From her studies at PCL Mahr began working sequentially. These series have always been self-referential to emphasise an individual subjectivitiy, but in common with Yve Lomax, she is dealing with the implications of narrative and so-called photographic 'truth'. Mahr's work since the early 1980s 'Lili Brik' (1982), 'Idle Times', 'Once Upon There Was A Soldier' (1985/6) and the current work in this exhibition) deals with the recreation of known or imagined incidents. She calls herself a still life photographer demonstrating her need to control the process of picture-making and to avoid expressive constraints. In her tableaux, there are intricate layers of process, transformation and symbolism and a tireless search for new visual solutions. Her images contain a photographic backdrop in front of which an assemblage of objects from the real world is foregrounded, presenting no hierarchical division between the two planes and allowing us, the viewers, to break out of the spatial limits imposed by the frame. This layering of pictures within pictures is essential to her goal - that of representing the complexities of an inner life: dreams, imagination and memories. Her photo-stories never contain a unilateral narrative, but like memories, many fragmented and disparate narratives simultaneously. These each contain a 'truth' and yet are of the same time 'fiction'. For Mahr, there is nothing incompatible about this seeming opposition.

—— In 'Divergent Series YVE LOMAX has produced twelve assemblages; four of which appear in this exhibition; panels of pure colour are interspersed between hand coloured photographs. They deal 'with 'fiction' in the widest sense of the term: narrative, metaphorical journeys, stones, flights of fancy, fabrication, images'.[2]

Lomax has developed a working practice that takes issue with ideological systems of representation to reassess women's cultural role. As both artist and theorist she is dismantling the ideological division that has existed between the visual and the intellectual. 'Divergent Series' experiments with ideas and issues that came out of two previous bodies of work, a text 'Future Politics / The Line In The Middle' and 'Open Rings and Partial Lines' (1983). The latter was included in 'Beyond the Purloined Image' (1983) a show curated by Mary Kelly at Riverside Studios, which showed how artists such as Mitra Tabrizian, Karen Knorr, Susan Trangmar and Olivier Richon who were 'extending a feminist theory of 'the subject' to a critique of artistic authorship'.[3] As Kelly explains, 'the artists ...are passionately, but critically committed to the contemporary world: yet they are not content merely to pilfer its cultural estate. Instead they are exploring its boundaries, de-constructing its centre, proposing the decolonisation of its visual codes and of language itself'.[4]

Within 'Divergent Series', in each diptych or triptych panel, Lomax is extending these preoccupations. The work is constructed within certain preset limits and then evolves through a process of controlled experimentation. Two issues central to the work are the binary concept of difference (either/or, masculine/feminine, truth/fiction) and the status of the image within contemporary society. As Lomax herself explains: 'It has often been said thad today we are living in a culture of proliferating images; the photographic image has an omnipresence, all pervading, erverywhere. Such a statement is often accompanied by a sense of loss or mourning. The sentiment is that we are caught in an endless process where images only refer to other images; an incessant flow where images no longer refer to a depth or 'reality' assumed to lie beyond the surface or appearance of the photographic image.

I would contend that 'reality' is not something which is given in some prior or primary sense, and as such can be captured, expressed or reflected. My argument would be that reality – the world – is that which is invented, constructed, or fictioned and that this involves a diversity of divergent interpretations, opinions, images, tales, indeed fictions. My current work sets out to play with and upon the photographic image in terms of this diversity and divergence. Rather than advocating one story as the story, this work is concerned to tell several stories at once. There may be, for example, a fiction such as anthropomorphism, there may be a 'line' from one of the various fictons of postmodernism, there may also be a very old story about light as a guiding and revelatory force. It isn't a matter of 'Divergent Series' reflecting the diversitiy of images, fictions and fables that jostle and contend within 'western society'; it is, on the contrary, a matter of understanding that this work itself is part of that very diversity, part of the 'contest of images that happens everywhere in our society'.

In stressing fiction and fable it may appear that truth disappears from the world. Doesn't fiction, traditionally, imply a loss or absence of truth? Are we not accustomed to thinking of fiction as other, or foreign, to truth, in as much as we are accustomed to thinking of abstraction as opposite to reality. Truth is traditionally 'to be right', when truth is lost then there is wrong and accordingly this means that fiction (as the loss or absence of truth) becomes open to the accusation of falsehood, telling tales and tall stories.

Great Britain
Groot-Brittannië

—— 'Divergent Series' van Y V E L O M A X bestaat uit twaalf assemblages waarvan er vier op deze tentoonstelling te zien zijn. Kleurenpanelen wisselen hierin met de hand gekleurde foto's af. Het gaat hierbij 'om 'fictie' in de ruimste betekenis van het woord: zowel in de gedaante van de vertelling, metaforische reizen, verhalen, fantasievluchten, verzinsels en beelden.'[2] In Lomax' werk wordt de strijd aangebonden met het ideologische systeem van de representatie om de culturele rol van de vrouw opnieuw te kunnen bepalen. In haar hoedanigheid van kunstenaar zowel als theoretica ontmantelt zij de ideologische scheiding zoals die bestond tussen het visuele en intellectuele. In 'Divergent Series' experimenteert zij met ideeën en thema's voortkomend uit eerdere projecten: de tekst 'Future Politics/The Line in the Middle' en 'Open Rings and Partial Lines' (1983). Dit laatste werk maakte deel uit van de tentoonstelling 'Beyond The Purloined Image', georganiseerd door Mary Kelly in de Riverside Studios. Deze expositie toonde hoe kunstenaars als Mitra Tabrizian, Karen Knorr, Susan Trangmar en Olivier Richon 'de feministische theorie van het subject uitwerken tot een kritiek van het kunstzinnig schrijverschap'.[3]
Kelly verklaart: 'de kunstenaars ... zijn gepassioneerd maar kritisch betrokken bij de wereld van vandaag; toch zijn zij niet tevreden met het zomaar inpikken van haar culturele landgoed. Zij onderzoeken haar grenzen, deconstrueren haar middelpunt en nemen zich voor haar visuele codes en haar taal te decolonialiseren'.[4]
In elk twee- of drieluik van 'Divergent Series' voert Lomax deze vooringenomenheid verder. Het werk wordt samengesteld binnen vooraf bepaalde grenzen en ontwikkeld zich verder door een proces van gecontroleerd experimenteren. De twee centrale thema's zijn: het tweeledige concept van het verschil (of/of, mannelijk/vrouwelijk, waarheid/fictie) en de status van het beeld in de moderne samenleving.
Zelf zegt zij hierover:"Er wordt vaak gezegd dat wij leven in een tijd van zichzelf vermenigvuldigende beelden, het fotografisch beeld is alomtegenwoordig en dringt overal door. Een dergelijke verklaring gaat vaak gepaard met een besef van verlies en rouw. We hebben het gevoel gevangen te zitten in een eindeloos proces waarin beelden verwijzen naar beelden en niet langer naar de realiteit zoals die verondersteld wordt achter de oppervlakte van het fotografisch beeld te liggen.
Ik zou willen bestrijden dat de 'werkelijkheid' een bestaand primair of oorspronkelijk gegeven zou zijn en als zodanig begrepen, uitgedrukt of weerspiegeld kan worden. Volgens mij is de werkelijkheid - de wereld- iets dat uitgevonden, geconstrueerd of verzonnen wordt. Dit betekent dat de wereld bestaat uit een diversiteit aan uiteenlopende interpretaties, opinies, beelden, verhalen en dus daadwerkelijk fictie is. Het doel van mijn huidige werk is het spelen met het fotografische beeld in termen van deze diversiteiten en verschillen. Het werk houdt zich veel meer bezig met het tegelijkertijd vertellen van verschillende verhalen dan met het bepleiten van één verhaal als hét verhaal. Er kan bijvoorbeeld sprake zijn van een verdichtsel als anthropomorfisme, een lijn uit een van de vele ficties van het post-modernisme of een al zeer oud verhaal over licht als een sturende en onthullende kracht.

'Divergent Series' weerspiegelt niet zozeer deze diversiteit aan beelden, aan verzinsels en fabels in de westerse samenleving die elkaar verdringen en bestrijden. Integendeel, het gaat erom dit werk te begrijpen als participerend in deze veelvuldigheid, als een deel van de 'beeldenstrijd die zich overal in onze samenleving voltrekt'.

Door fictie en fabel te benadrukken kan de indruk ontstaan dat de waarheid uit de wereld verdwijnt. Houdt fictie, traditioneel gezien, niet een verlies of afwezigheid van de waarheid in. Zijn wij niet gewoon om over fictie te denken als iets anders, iets dat vreemd is aan de waarheid op dezelfde wijze als dat we gewend zijn om abstractie als tegengesteld te zijn aan werkelijkheid?

De waarheid wordt traditioneel als 'juist' ervaren, wanneer we de waarheid uit het oog verliezen dan is er sprake van kwaad. Dit betekent dat fictie beschuldigd kan worden van vervalsing, leugens, het vertellen van grote verhalen (als zijnde het verlies of de afwezigheid van waarheid).

Voor mij is het zaak om dit verlies of deze afwezigheid van de waarheid te vieren noch te betreuren, maar juist om dit tweeledige verschil, deze tegenstrijdigheid tussen waarheid en fictie te ondervragen, en wel daar waar de status van fictie, als zijnde het andere, wordt gedefinieerd in negatieve bewoordingen, dat wil zeggen: fictie is onwaar. Of zoals ik het anders zou willen stellen: Ik ben, en daarom ben jij niet.

Het probleem dat 'Divergent Series' zich tracht te stellen is het denken over verschil om op deze manier opnieuw vraagtekens te plaatsen bij de status van fictie en waarheid, abstractie en realiteit. Naar mijn mening is dit niet slechts een thema van academische aard maar het heeft politieke en culturele implicaties. Hiervoor is een speciale openheid vereist ten aanzien van het thema veelheid. Openheid in plaats van een zuinige afwijzing als: chaotisch, of een modieus pluralisme waarbij alles mogelijk is![5]

——— Samenvattend, maar niet concluderend, hoop ik dat de waardering voor deze werken een bijdrage zal leveren aan de gedachte achter deze eerste Biënnale en haar titel: 'Questioning Europe'. De uitweidingen over vaststaande systemen van representatie alsmede de strijdbare strategieën om deze systemen omver te werpen getuigen van een gezonde ondervraging van de fotografische praktijk in Groot-Brittannië. Mahr en Lomax staan niet alleen. De ondergraving van de conventionele genres (die vanaf nu allen nog met de ontoereikende benaming 'fotodocumentaire praktijk' betiteld kan worden) zet zich voort, met name in het werk van Paul Graham, Peter Fraser, Martin Parr and Sunil Gupta.

Great Britain
Groot-Brittannië

The issue, at least for me, is a matter of neither celebrating nor lamenting a loss of absence of truth but rather of questioning the very (binary) difference or opposition between truth and fiction where the status of fiction, of the other, is defined in negative terms, i.e. fiction is not true. Or, as it may be put: I am, therefore you are not.

The difficulty which 'Divergent Series' attempts to confront is to think difference differently, and in so doing to requestion the status of fiction and truth, abstraction and reality in our contemporary society. This I feel is an issue which is not merely 'academic' but has political and cultural implications. Questioning difference requires, I feel, a particular openness towards the issue of multiplicity rather than an ungenerous dismissal as chaotic of modish pluralism where 'anything goes'.[5]

——— In summary, but not conclusion, it is hoped that the appraisal of these works will illuminate the thinking behind this first Biënnale and its title Questioning Europe. Digression from hither to 'fixed' systems of representation, and 'oppositional' tactics to topple those systems points to a healthy questioning within photographic practice in Britain. Mahr and Lomax are not alone. The subverting of conventional genres appears now in what can only be loosely but inadequatly termed photodocumentary practice, particularly in the work of Paul Graham, Peter Fraser, Martin Parr and Sunil Gupta.

Noten:
1. Susan Butler, 'How do I look?, Women Before & Behind The Camera' in Staging the Self, © Plymouth Arts Centre 1987.
2. Uit 'Truth's Fictions', Yve Lomax, niet gepubliceerd.
3. Mary Kelly, 'Beyond The Purloined Image'. Block 9 1983.
4. Op cit 2.
5. Op cit 2.

Notes
1. Susan Butler, How do I look?, Women Before & Behind The Camera in Staging the Self © Plymouth Arts Centre 1987.
2. From Truth's Fictions, Yve Lomax, unpublished.
3. Mary Kelly, Beyond The Purloined Image, Block 9 1983.
4. Op cit 2.
5. Op cit 2.

Near to Nice I Was Reminded of Death, Part I / I

MARI MAHR

Near to Nice I Was Reminded of Death, Part I / I

MARI MAHR

Near to Nice I Was Reminded of Death, Part I/2

MARI MAHR

Near to Nice I Was Reminded of Death, Part II/2

YVE LOMAX

From: Divergent Series (The World Is A Fabulous Tale), 1987-88

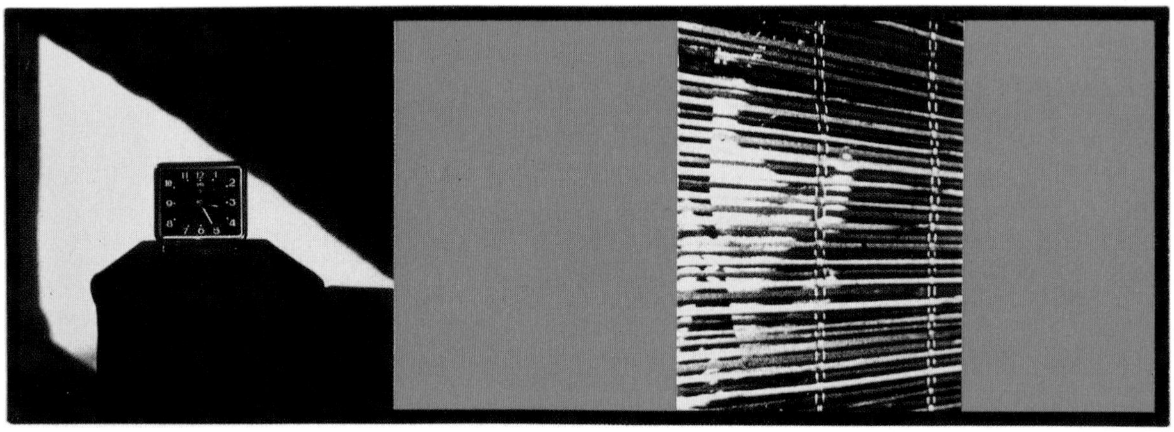

YVE LOMAX

From: Divergent Series (The World Is A Fabulous Tale), 1987-88

David Balsells

David Balsells is directeur van het Centre de
Creació Fotogràfica in Barcelona en
organisator van de tweejaarlijkse
'Primavera Fotogràfica'.

David Balsells is director of the Centre de
Creació Fotogràfica, Barcelona and
organisor of the 'Primavera Fotogràfica'.

TWEE GENERATIES.
DE FOTOGRAFISCHE KWESTIE
IN HET HUIDIGE SPANJE

In de jaren vijftig ontstond in Spanje een groep fotografen met een eigen gezicht. Zij bevonden zich echter in een fotografisch panorama, dat men, gezien vanuit de wereld van de beeldende kunst, als treurig zou moeten omschrijven.
Xavier Miserachs, Gebriel Cualladó, Juan Dolcet, Nicolás Muller en Francesc Català-Roca waren de recruten van een nieuwe Spaanse fotografie, die de geografische grenzen van ons land overschreden. Zij trokken de aandacht van de belangrijkste fotografische centra van de wereld.
—— Het soort fotografie dat deze fotografen bedreven, was een antropologische reportage van een Spanje, dat gebukt ging onder het juk van de Franquistische dictatuur en nog maar net bekomen was van de Burgeroorlog. Deze fotografie zou men kunnen vergelijken met vormen van het beruchte 'Zwarte Spanje', dat sommige schilders eeuwen geleden aan hun doeken toevertrouwden. Een verwijzing naar Goya is in dit opzicht onvermijdelijk. Net zoals het werk van deze geniale schilder ons een Spanje laat zien, dat nog trauma's had van de oorlog tegen de Fransen, zo ook waren de foto's van bovengenoemde fotografen produkten van een na-oorlogse situatie. Ook al was deze situatie niet geheel vergelijkbaar met de periode waarin Goya leefde, toch zien we bij deze fotografen een grote mate van gelijkwaardige intensiteit.
—— Het ging dus om een fotografie, die zich confronteerde met de werkelijkheid. Een wrede en soms walgelijke werkelijkheid. Het was een directe fotografie, een getuigenis. En op een bepaalde manier een testament. Een zwart-wit met geaccentueerd contrast en met een zware en bittere inhoud. Beelden, geladen met een liefde voor een half vernietigd Spanje, en niet zelden met een humor, die net zo zwart was als de sociale omstandigheden van ons land in die jaren.
De fotografen verbonden hun verantwoordelijkheid jegens de maatschappij met een grote mate van perfectie.
—— Er zou twintig jaar voorbij gaan, tot aan het eind van de jaren '70, voordat de fotografie zich de luxe kon permitteren een ommezwaai van honderdtachtig graden te maken. Alhoewel zij nog steeds onder de verschrikkingen van de dictatuur leed, zocht de Spaanse fotografie nieuwe wegen en nieuwe concepten. Een jonge generatie fotografen loste de oude meesters af en besloot nieuwe expressieve wegen in te slaan, die beter aansloten bij de stromingen in de beeldende kunst. Zij richtten zich ook nadrukkelijk tot de kringen van de Spaanse beeldende kunst. Een kunst, die meeging met de zich voordoende politieke verschuivingen en die bereid was mee te werken aan de definitieve vestiging van een democratie, waarop zij hoopte en waarnaar zij vurig verlangde.
—— De verschijning van het tijdschrift Nueva Lente in 1971 maakte het mogelijk het werk van die jonge fotografen te kanaliseren en te groeperen. Hun werk, dat zich verwijderde van de documentaire fotografie, bood een nieuw alternatief aan de Spaanse fotografie in die jaren.
Het was in die tijd ook dat men in Spanje de werken van de grote meesters ontdekte en ging waarderen. Atget, Weston, Adams, Strand en anderen waren de uitgangspunten van de Spaanse fotografie in die tijd. Men waardeerde hen en bewonderde hen maar al spoedig begreep men duidelijk dat het niet mogelijk is zich vast te klampen aan voorbije benaderingen, hoe goed die ook zijn. Een nieuwe fotografie werd in Spanje geboren. Nieuw en fris. Met zin om de wereld te schokken en met zin om naar buiten te treden. Fotografen als Joan Fontcuberta, Manel Esclusa, Toni Catany, Rafael Navarro, Pere Formiguera, Pablo Pérez Mínguez en anderen begonnen aan een oeuvre, goed genoeg om te exporteren en in staat om zich tot ver buiten het Spaanse grondgebied te handhaven.

TWO GENERATIONS

THE ISSUE OF PHOTOGRAPHY IN SPAIN TODAY

Cover Nueva Lente, 1974

Spain
Spanje

—— During the Fifties a group of photographers began to show a new face within a photographic panorama that, in terms of art, could best be described as hardly more than pitiful. Such names as Xavier Miserachs, Gebriel Cualladó, Juan Dolcet, Nicolás Muller and Francesc Català-Roca represented a new Spanish photography that went beyond the geographical borders of our country. They attracted the attention of the world's most important photographic centres.
—— The sort of photography that these photographers made was an anthropological reportage of a Spain that at that time was labouring under the yoke of the Franco dictatorship and had only just recovered from the Spanish Civil War. This photography could be said to contain features comparable with the notorious 'Black Spain' which painters committed to canvas centuries ago. There is always an obligatory reference to Goya. Just as the work of this brilliant painter shows us a Spain that was still suffering the traumas of the war against the French, so too were the photos of the above-mentioned photographers products of a post-war situation. Even though this situation is not completely comparable with the period in which Goya lived, we still recognise a large degree of equivalent intensity in the work of these photographers.
—— This was a type of photography, then, which confronted reality. A cruel and sometimes disgusting reality. It was direct photography, bearing witness, and was in a certain way a testament. Black and white with accentuated contrast, and with a heavy and bitter content. Images laden with love for a halfdestroyed Spain, and not infrequently with a humour that was just as black as the social conditions in our country at that time. The photographers combined their responsibility towards society with a large measure of perfection.
—— Twenty years had to pass, up until the end of the Seventies, before photography could allow itself the luxury of making a hundred-and-eighty degree turn. Although it continued to suffer under the horrors of dictatorship, Spanish photography was searching for new directions and new concepts. A young generation of photographers took the place of the old masters and decided to go in new expressive directions more affiliated to movements in art. They also addressed themselves with great dedication to those circles within Spanish art that were keeping pace with the political shifts that were occurring, and were prepared to assist in the definitive establishing of a democracy, which was something they hoped for and ardently desired.
—— The appearance of the magazine Nueva Lente in 1971 helped to channel and group the works of these young photographers. Their works represented a withdrawal from documentary styles and offered a new alternative to Spanish photography in those years.
It was at that time that people in Spain rediscovered the works of the great masters and started to appreciate them. Atget, Weston, Adams and Strand, among many others, were the startingpoints for Spanish photography then. They were appreciated and admired, but it was not long before people understood that it is not possible to cling to bygone patterns, however good they may be. A new photography was born in Spain. New and fresh. Meant to shock the world and meant to make itself known. Photographers like Joan Fontcuberta, Manel Esclusa, Toni Catany, Rafael Navarro, Pere Formiguera, Pablo Pérez Mínguez and others started making works that were good enough to export and which could hold their own far beyond the territory of Spain.
—— At present Spanish photography is no longer suffering from the traumas of general underdevelopment that made our country be behind the times. With complete justification and

JOSEP M. CALMET
Aquille Lauro

without suffering any kind of complex, it has managed to become incorporated into the global panorama of contemporary art. Moreover, it has been able to fully preserve its own characteristics, and even to strengthen them. In this way Spanish photography has contributed to European culture, from which it has never really been absent.

Within the latest movements of the global photographic avantgarde, names such as Jordi Guillumet with his excellent selfportraits, Ouka Lele, or the recent work of Joan Fontcuberta and Pere Formiguera dealing with fantasised fauna, are highly rated. They show in the world's best galleries. They are three examples of the latest work of photographers representing the young/old guard of Spanish photography of the Seventies. Now, at the end of the Eighties, new names – new, very young photographers – have been added to the photographic scene which is now more up to date than ever. Marc Viaplana and Mabel Palacín, Ramón David, Martí Llorens and Josep Maria Calmet are just some of the photographers who have given up the idea of becoming self-taught and have graduated from photography schools or from Fine Art faculties. They have appropriated the medium with a forcefulness never seen before in the history of photography.

—— In order to represent our country in this exhibition, we are showing work by two photographers, who to a certain extent represent the two groups I have been talking about, namely those photographers who, so to speak, evolved during the Seventies, and those who, albeit with recent and not yet very extensive work, are authoritatively striking out for themselves in the field of Spanish photography.

—— PABLO PÉREZ MÍNGUEZ was one of the founders of the magazine Nueva Lente. Under his direction the magazine went through a particularly interesting period as a result of the freshness of his ideas and his support for creative and dynamic photography. These days Pérez Mínguez is still surprising and pleasant. His series 'Estetica Mistica', which is based on symbols of classical mythology, displays a remarkable creative maturity, which nevertheless does not in any way diminish the expressive freedom that has always characterised this photographer. The way he deals with the body and with human expression, together with a boundless play of light and colour, makes his works into archetypes possessing a visual language which is to a large degree determined by Madrid's seething cultural life.

—— In Barcelona, one of Spain's most important focal points of creative energy, JORGE RIBALTA constructs his 'Paisajes de un Final (De Milenio)', inspired by the Romantic painter Caspar David Friedrich. His work transports us into the terrain of fantasy, and thus connects up fully with the movement currently called 'staged photography'. His small still lives, enlarged in such a way that we can hardly draw the line any longer between reality and imagination, place us in a world of images that, as the critic Cristina Zellich has said, remind us strongly of the world of Jules Verne or Joseph Conrad. And this is done with iconographical capers of the utmost charm.

—— A dedicated photographer, who has not missed the train of modern times, but on the contrary, has been one of those vigorously pushing it forward, and a well-educated newcomer with an indisputable future, make up our selection for this exhibition of European photography. Others could equally well have been chosen. On the next occasion we will doubtless show their work and we are convinced that no one will be disappointed.

JOAN FONTCUBERTA & PERE FORMIGUERA
Solenoglypha Polipódia, 1987
From: Fauna

—— Tegenwoordig lijdt de Spaanse fotografie niet meer aan trauma's van de algehele onderontwikkeling. Zij heeft zich, zonder complexen, een terechte plaats verworven in het mondiale panorama van de hedendaagse kunst. Daarbij heeft ze haar karaktereigenschappen volledig weten te behouden en zelfs te versterken. In die hoedanigheid heeft de Spaanse fotografie een bijdrage geleverd aan de Europese cultuur, waarin ze nooit echt afwezig is geweest.

—— Binnen de laatste stromingen van de mondiale fotografische avantgarde worden namen als die van Jordi Guillumet met zijn uitstekende zelfportretten, Ouka Lele, of het recente werk van Joan Fontcuberta en Pere Formiguera over een gefantaseerde fauna, op waarde geschat. Zij exposeren in de beste galeries van de wereld. Zij vertegenwoordigen de nu jonge-oude garde van de Spaanse fotografie van de jaren zeventig.
Op dit moment, aan het eind van de jaren tachtig, dient zich echter een generatie van nieuwe, zeer jonge fotografen aan met een fotografie, die actueler is dan ooit. Marc Viaplana en Mabel Palacín, Ramón David, Martí Llorens en Josep Maria Calmet, zijn enkele van de fotografen die niet zoals vroeger autodidact zijn maar afgestudeerd zijn aan fotografiescholen of aan faculteiten van beeldende kunst. Zij hebben zich het medium toegeëigend met een nog niet eerder vertoonde kracht in de geschiedenis van de fotografie.

MARC VIAPLANA & MABEL PALACIN
Sex God Sex, 1987

—— Wij willen ons land in deze expositie presenteren met het werk van twee fotografen, die in zekere mate de twee groepen vertegenwoordigen, waarover we zojuist spraken. Namelijk die van de fotografen, die zich ontwikkelden in de jaren zeventig en die van de fotografen, die zich nu beginnen met autoriteit een weg banen in het veld van onze fotografie, ook al is hun oeuvre nog niet omvangrijk.

—— PABLO PÉREZ MÍNGUEZ was een van de oprichters van het tijdschrift Nueva Lente. Onder zijn leiding beleefde het tijdschrift een van zijn meest bekoorlijke momenten door de frisheid van zijn ideeën en zijn manier om de vrije en dynamische fotografie kracht te geven. Tegenwoordig is Pérez Mínguez nog steeds verrassend en aangenaam. Zijn serie 'Estetica Mistica', gebaseerd is op een symboliek die ontleend is aan de klassieke mythologie, bezit een opmerkelijke creatieve rijpheid, die evenwel geen enkele afbreuk doet aan de expressieve vrijheid die het werk van deze fotograaf altijd heeft gekenmerkt. De manier waarop hij het lichaam en de menselijke expressie behandelt, gepaard aan een grenzeloos spel van licht en kleur, maakt van zijn werken archetypen met een beeldende taal, die in hoge mate bepaald wordt door het culturele leven van het bruisende Madrid.

—— In Barcelona, een van de belangrijkste Spaanse brandpunten van creatieve uitstraling, construeert JORGE RIBALTA zijn 'Paisajes De Un Final (De Milenio)', waarbij hij zich laat inspireren door het werk van de romantische schilder Caspar David Friedrich. Zijn werk voert ons het terrein binnen van de fantasie, waardoor het volledig aansluit bij de stroming, die wij tegenwoordig kennen als 'staged photography'. Zijn kleine stillevens, die hij zodanig vergroot, dat we de grens tussen de werkelijkheid en de verbeelding nauwelijks meer kunnen trekken, plaatsen ons in een wereld van voorstellingen die, zoals de critica Cristina Zellich opmerkte, nadrukkelijk verwijzen naar het universum van Jules Verne of Joseph Conrad. Zij doen dit bovendien met iconografische capriolen, die uitermate bekoorlijk zijn.

—— Een toegewijd fotograaf, die de trein van de moderne tijd niet gemist heeft, integendeel één van degenen die hem nog altijd krachtig voortduwt, en een goedgeschoolde nieuwkomer met een onbetwistbare toekomst, vormen de selectie voor deze tentoonstelling van Europese fotografie. Anderen hadden met hetzelfde recht uitgekozen kunnen worden. Bij de volgende gelegenheid zullen wij dan ook niet aarzelen hun werk te laten zien en wij zijn ervan overtuigd dat, ook dan, niemand teleurgesteld zal zijn.

Spain
Spanje

PABLO PÉREZ MÍNGUEZ

El Beso de Judas

From: Estetica Mistica

PABLO PÉREZ MÍNGUEZ

Estrella de David

From: Estetica Mistica

PABLO PÉREZ MÍNGUEZ
Ecce Homo
From: Estetica Mistica

PABLO PÉREZ MÍNGUEZ

Vulcano

From: Estetica Mistica

JORGE RIBALTA

From: Viajes de Invención, 1987

JORGE RIBALTA

JORGE RIBALTA

From: Viajes de Invención, 1987

JORGE RIBALTA

From: Viajes de Invención, 1987

JORGE RIBALTA

From: Viajes de Invención, 1987

JORGE RIBALTA

From: Viajes de Invención, 1987

Robert Meyer is fotografie-criticus en organiseert op free-lance basis tentoonstellingen in Oslo.

Robert Meyer

Robert Meyer is photography critic and organises on a freelance basis exhibitions in Oslo.

Norway
Noorwegen

ECHTE MANNEN MAKEN GEEN SLECHTE FOTO'S

DE IDENTITEIT VAN DE NOORSE FOTOGRAFIE

Ik vind het moeilijk om een overzicht te geven van de huidige stand van zaken in welke kunstvorm dan ook – en met name die in de fotografie. Hiervoor is volgens mij inzicht nodig in de sociale topografie waarin het medium ligt ingebed, het huidige klimaat en de dromen die de kunstenaars met zich meedragen.

—— De laatste jaren bestaat er onder kunstenaars een duidelijke neiging achterom te kijken. Er wordt echter niet gekeken naar de geschiedenis, die een cultureel product van onze tijd is en waarop niet méér vertrouwd kan worden dan op een willekeurige roman. Kunstenaars zoeken, denk ik, naar de oorsprong van het zien, ervaren, handelen, denken en zijn, kortom naar de fundamenten van de cultuur. Voor sommige kunstenaars komt het verzet tegen hedendaagse ideeën voort uit een behoefte aan vernieuwing van hun (of onze) identiteit. Deze behoefte is een natuurlijke reactie op onze huidige situatie, waarin de media de wereld hebben veranderd in een videofilm, waarin afstand onverschilligheid betekent, waarin rampen zijn verworden tot vermaak en de toekomst getuigt van een leegte zonder hoop. Een paar handige jongens hebben de periode waarin wij ons bevinden 'post-modernisme' genoemd. Een zuiver beschrijvend woord dat aanvankelijk zonder enige inhoudelijke betekenis was. Tegenwoordig is de term echter voorzien van allerhande betekenissen, filosofieën, analyses, morele connotaties, enz. Het resultaat is een meerzinnig woord zonder vastgelegde betekenis en zodoende beladen met elke mogelijke interpretatie. De zoektocht naar de fundamenten is vanzelfsprekend gebaseerd op het geloof dat er werkelijk zo iets bestaat als een uiteindelijke of ontologische bron van cultuur en betekenis. Dit geloof lijkt sterk op de romantische ideeën van het laatste decennium van de achttiende eeuw, hoewel het geloof in de kunst in de romantische waarden bewaard is gebleven.

—— Het is vreemd te bemerken dat de term 'Europese fotografie' wordt gebruikt om uitdrukking te geven aan een bijzondere trend, een vorm van esthetiek, of een wijze van denken. Normaal gesproken wordt de term gebruikt als een breed interpretatiekader, waarbinnen alle ongelijkheden – in de pluralistische betekenis van het woord – binnen fotografie in Europa een plaats vinden. Hiertegenover staat dat de benaming 'Amerikaanse fotografie' stond voor een uiterst kieskeurige selectie foto's die in de Verenigde Staten werd geproduceerd. Veelal werd de keuze bepaald door John Szarkowski, de directeur van het Museum of Modern Art in New York, waar de foto's dan ook werden gepresenteerd. Het is mijn oprechte overtuiging dat hij zijn taak buitengewoon professioneel vervult en dat alle lof die hij krijgt toegezwaaid hem ook toekomt – ook al houdt zijn positie als zodanig al een enorme macht in.

—— De term 'Amerikaanse fotografie' heeft een geweldige invloed gehad op Europese fotografen, met name door de export van Amerikaanse fotoboeken, tijdschriften, theorieën en filosofieën. De geïmporteerde Amerikaanse fotografische kunst met inbegrip van haar theorieën, opvattingen, normen en esthetica zijn vrijwillig geconsumeerd door jonge, hongerige en ambitieuze fotografen uit het gehele westelijke deel van Europa en zelfs verder oostwaarts. Zo ook in Noorwegen. Het gebrek aan kunstzinnige educatie op het gebied van de fotografie, aan publicaties, de distributie hiervan en het gebrek aan tentoonstellingen of een vorm van communicatie met het publiek die verder ging dan de privésfeer creëerden een braakliggend terrein dat openlag voor elke indringer met goede bedoelingen. In de afgelopen dertig jaar – of zelfs nog langer – zijn de Amerikaanse troepen als het ware binnengestormd. Dit was niet schadelijk in al zijn gevolgen, omdat vele fotografen die de nieuwe richtlijnen volgden een internationale erkenning hebben verworven. De hiervoor betaalde prijs was echter een groeiend provincialisme, en misschien zelfs het verlies van een culturele identiteit; 'echte mannen maken geen slechte foto's!' En dit zou wel eens één van de redenen kunnen zijn waarom het nodig is vraagtekens te plaatsen bij 'Europa' en te zoeken naar herinterpretaties binnen de fotografie.

REAL MEN DON'T TAKE BAD PHOTOGRAPHS

THE IDENTITY OF NORWEGIAN PHOTOGRAPHY

—— I find it difficult to overview the current state or situation in any art field, especially photography. I feel that to do this I need an understanding of the social topography the medium rests in, the present climate and the dreams borne by the artists.

—— In recent years there has been a clear tendency among artists to look back. But it is not history that they look back to, since this is a cultural product of our time and cannot be relied upon any more than a novel. Artists, I think, are looking for the origins – of seeing, experiencing, doing, thinking, being; they are searching for the fundamentals of culture. For some artists this reaction against the ideas of the present has grown out of a need for a renewal of their (or our) identity, a need that I believe is a natural reaction to our present situation, where the visual media have turned the world into a video, where distance means carelessness, catastrophe is entertainment and the future is emptied of hope. Some clever people have baptized the present period 'Postmodernist'. It is a purely descriptive word which initially had no intrinsic significance. Today, however, the word has been stuffed with all kinds of meanings, philosophies, analyses, ethics, etc., resulting in a polysemic word without any structured connotations – it is loaded with every possible interpretation. The search for fundamentals is naturally based on the belief that there really does exist an ultimate, ontological source of culture and meaning. Such a belief resembles the romantic ideas of the 1790s. Indeed, much of the belief in Art itself still depends on romantic values.

—— It is rare to find the term 'European Photography' used as an expression for a particular trend, aesthetics or way of thinking. The term is more commonly used as a broad frame for all the dissimiliarities – in a pluralistic sense – within photography throughout Europe. On the other hand, 'American Photography' has often signified a fastidious selection of photographs produced in the USA, usually defined and presented by The Museum of Modern Art in New York under the aegis of its director of photography, John Szarkowski. I sincerely believe that he is doing his job exceptionally professionally, and he certainly deserves all the credit he gets - even if the position itself does have tremendous power adhering to it.

—— However, the term 'American Photography', as such, has had an enormous impact on European photographers, since most of the American photographic books, magazines, theories and philosophies were exported. And these imports of American photography, including the theories, views, standards and aesthetics, have been avidly consumed by young, hungry and ambitious photographers all over Western Europe, and sometimes even further East. This has also been the situation in Norway. The lack of artistic education in photography, the lack of photographic book publishing, distribution of exhibitions or any kind of communication with the public beyond the private sphere has created a vacuum, and cleared the field for any well-intentioned intruder. During the last 30 years – or even longer – we have been practically 'invaded' by American 'troops'. This has not been harmful in every aspect, as many photographers have achieved international recognition by following the new directives. But the price, in many cases, has been a growing provincialism – and maybe an uncertainty resulting from the loss of their cultural identity. 'Real men don't take bad photographs'. And this may well be one of the reasons why we now need to question Europe, and look for reinterpretations within photography.

—— The problem, as I see it, concerns artistic freedom within a cultural context. Any photographer who defies his or her cultural background and accepts borrowed gestures and manners in order to make a snappy, trendy career, might well be a great success on the international market. But the work itself will, I think, only refer to ideas developed in a completely different context. How can anybody understand or utilize cultural traditions they have neither personal experience of, nor any other part in? The trivialities of everyday life in America may easily be seen as exotic in Telemark (Norway), and vice versa. Often the main sources of information are the works of other artists and the mass media. Referring to the exotic without a basis, a point of view, easily leads to superficial formalism and vanity. Such images tend to be an imitative, visual jargon – just another way of presenting clichés with impressive gestures and manners. It has always been easy to identify the models, and I have the feeling that all they have done is re-invent the reproductive qualities of photography. So where does that leave artistic freedom? Often I find that photographs conceal their intentions and just deal with themes in a self-reflective way – the Egotistic Photograph. In spite of the American dominance of the Norwegian photographic scene, there have been several outstanding photographers who have developed their own, independent photography, and created interesting images. Many of them actually had their artistic training in England, within the Anglo-American tradition. We like to call them established, though they are unable to support themselves purely from art work. But they have already achieved both national and international recognition through their strong, personal work.

—— When I looked for photographs for the exhibition 'Simulo' in Oslo in the autumn of 1987, I was supposed to be organising an exhibition of contemporary Norwegian photography. I decided to take the word 'contemporary' literally, and do something other than re-present established photography. The work I wanted to present should be work the artists themselves were engaged in at the time. So I ignored obvious trends, aesthetics and intellectual concepts, and searched for expressive images with a strong visual impact. I made a point of looking for newcomers and less established artists. If the viewers could be engaged in the various themes the artists were working on, instead of being passive admirers of their professionalism, the intention of the exhibition would be fulfilled. I wanted to activate the viewer.

—— It has been a tendency among Norwegian photographers to work with multiple images, series or installations. Their involvement with themes that do not fit into the usual form of art gallery presentation means that they have to find other solutions. While working with the photographers, choosing the final images for the exhibition, I often had to pull singular photographs out of a larger context, often before they were even completed. In the end we always agreed, even if the result became a new and different series of images. I wanted the show to reveal the things that really happened at the time, but which would not otherwise have been exposed to the public. Moreover, I wanted to give the artist a unique possibility to be confronted with the essence of their half-finished work, while it was still in process.

—— The four Norwegian photographers represented in this exhibition were all participants in 'Simulo': MARIUS BORGEN, PER MANING, MIKKEL MC and FIN SERCK-HANSSEN. Looking at their work, it seems that they actually have very little in common. Yet they perform their tasks in similar ways: instead of making 'photography' the big, central issue, they just use the medium and place it 'in between' the intention and the theme.

—— De vraag, zoals ik die zie, gaat over kunstzinnige vrijheid binnen een culturele context. Elke fotograaf die zijn of haar culturele achtergrond verloochent en andermans gebaren en manieren overneemt om een flitsende en trendy carrière te maken, kan weliswaar een groot succes hebben op de internationale markt, maar het werk zal slechts verwijzen naar ideeën die zijn ontwikkeld in een geheel andere context. Hoe kan iemand begrip hebben voor, of gebruik maken van culturele tradities waarmee hij geen persoonlijke ervaring heeft, of waarvan hij geen deel uitmaakt. De onbeduidendheden van het alledaagse leven in Amerika kunnen gemakkelijk voor exotisch worden versleten in Telemark (Noorwegen) en omgekeerd. Vaak zijn de belangrijkste bronnen van informatie het werk van andere kunstenaars en de massamedia. Het verwijzen naar het exotische zonder een basis, een gezichtspunt, leidt heel gemakkelijk naar oppervlakkig formalisme en ijdelheid. Deze beelden neigen naar een nagebootst visueel jargon en zijn slechts een alternatieve manier om clichés te presenteren met indrukwekkend ogende gebaren en manieren. Het is altijd eenvoudig geweest je te vereenzelvigen met bestaande voorbeelden en ik heb het gevoel dat alles wat deze beelden doen het opnieuw uitvinden van de reproductieve kwaliteit van de fotografie is. Waar is dan de kunstzinnige vrijheid? Vaak zie ik foto's die bedoelingen verhullen en thema's bedekken en zodoende onderwerp op zichzelf worden; de Egoïstische Foto.

—— Ondanks de Amerikaanse overheersing van de fotografie in Noorwegen zijn er toch meerdere voortreffelijke fotografen die hun eigen onafhankelijke wijze van fotograferen hebben ontwikkeld en interessante beelden hebben gecreëerd. Velen van hen genoten hun opleiding in Engeland – binnen de Anglo-Amerikaanse traditie. Wij noemen hen graag gearriveerd, ook al kunnen ze van hun fotowerk alléén niet leven. Wel hebben zij met hun sterke en persoonlijke werk een nationale en internationale erkenning bereikt.

—— Voor 'Simulo', gehouden in Oslo in de herfst van 1987, werd ik geacht een expositie te organiseren van hedendaagse fotografie in Noorwegen. Ik besloot het woord 'hedendaags' letterlijk te nemen en iets anders te doen dan het hervertonen van de gevestigde fotografie. Het werk dat ik wilde presenteren moest werk zijn waarmee kunstenaars op dàt moment bezig waren. Ik zag dus af van de juiste trends, de juiste esthetiek en de intelligente concepten en zocht naar expressieve beelden met een sterke visuele werking. Ook benadrukte ik het werk van nieuwkomers en minder gevestigde kunstenaars. Als de toeschouwers betrokken raakten bij de verschillende thema's waaraan de kunstenaars werkten, in plaats van slechts passieve bewonderaars van hun vakkundigheid te zijn, dan zou aan de bedoeling van deze tentoonstelling voldaan zijn. Ik wilde de toeschouwers activeren.

—— Onder Noorse fotografen leeft de tendens om met meervoudige beelden, series en installaties te werken. Omdat ze zich bezig houden met thema's die niet passen binnen de kunst-galerie presentatie zijn ze gedwongen op zoek te gaan naar andere oplossingen. Toen ik met de fotografen samenwerkte om tot een definitieve keuze voor de tentoonstelling te komen, was ik vaak genoodzaakt om afzonderlijke foto's uit hun bredere, vaak nog niet voltooide, verband te halen. Uiteindelijk kwamen we altijd tot overeenstemming, zelfs als dit een nieuwe of totaal andere beeldserie opleverde. Ik wilde de dingen die toen daadwerkelijk aan de gang waren en die anders niet aan het publiek getoond konden worden, onthullen. Verder wilde ik de kunstenaars een unieke kans geven geconfronteerd te worden met hun half-voltooide werk, terwijl het nog in ontwikkeling was.

—— De vier Noorse fotografen die hier, in dit overzicht gepresenteerd worden waren alle deelnemers aan 'Simulo': MARIUS BORGEN, PER MANING, MIKKEL MC en FIN SERCK-HANSSEN. Als we naar het werk van deze fotografen kijken hebben ze weinig gemeenschappelijk. Toch wijden ze zich op verschillende manieren aan (eenzelfde) taak. In plaats van 'fotografie' tot het centrale thema te maken, gebruiken zij het medium 'zo maar', waardoor het een plaats krijgt tùssen de uitgangspunten, bedoelingen en thema's van hun werk.

MARIUS BORGEN

From the installation: 9 Pictures from The Woods, West Germany

MARIUS BORGEN

From the installation: 9 Pictures from The Woods, West Germany

MARIUS BORGEN

From the installation: 9 Pictures from The Woods, West Germany

PER ODDVAR MANING

Leo

PER ODDVAR MANING

Leo

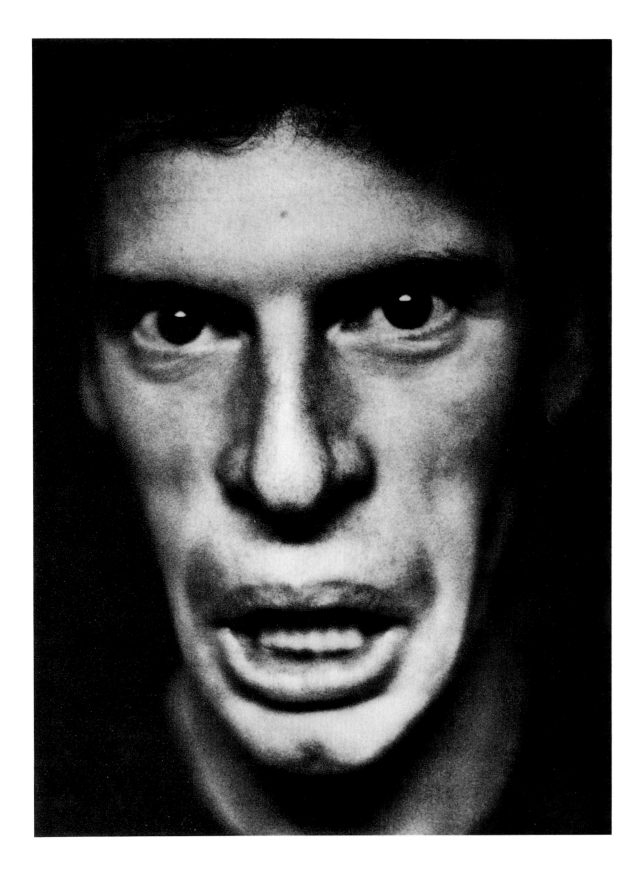

FIN SERCK-HANSSEN

untitled

FIN SERCK-HANSSEN

untitled

MIKKEL MC
Eye- Eye, 1988

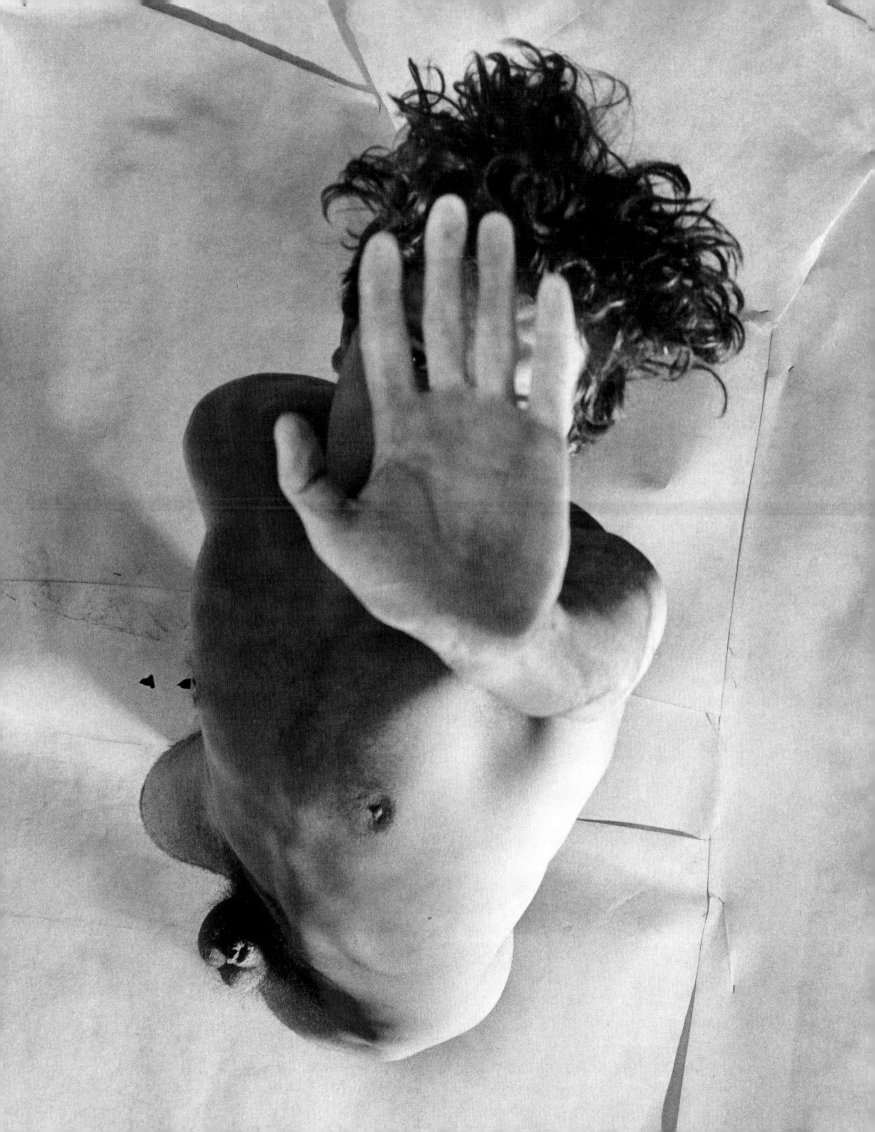

MIKKEL MC
Blue Nude (after Picasso!), 1988

MIKKEL MC
A Danger, 1988

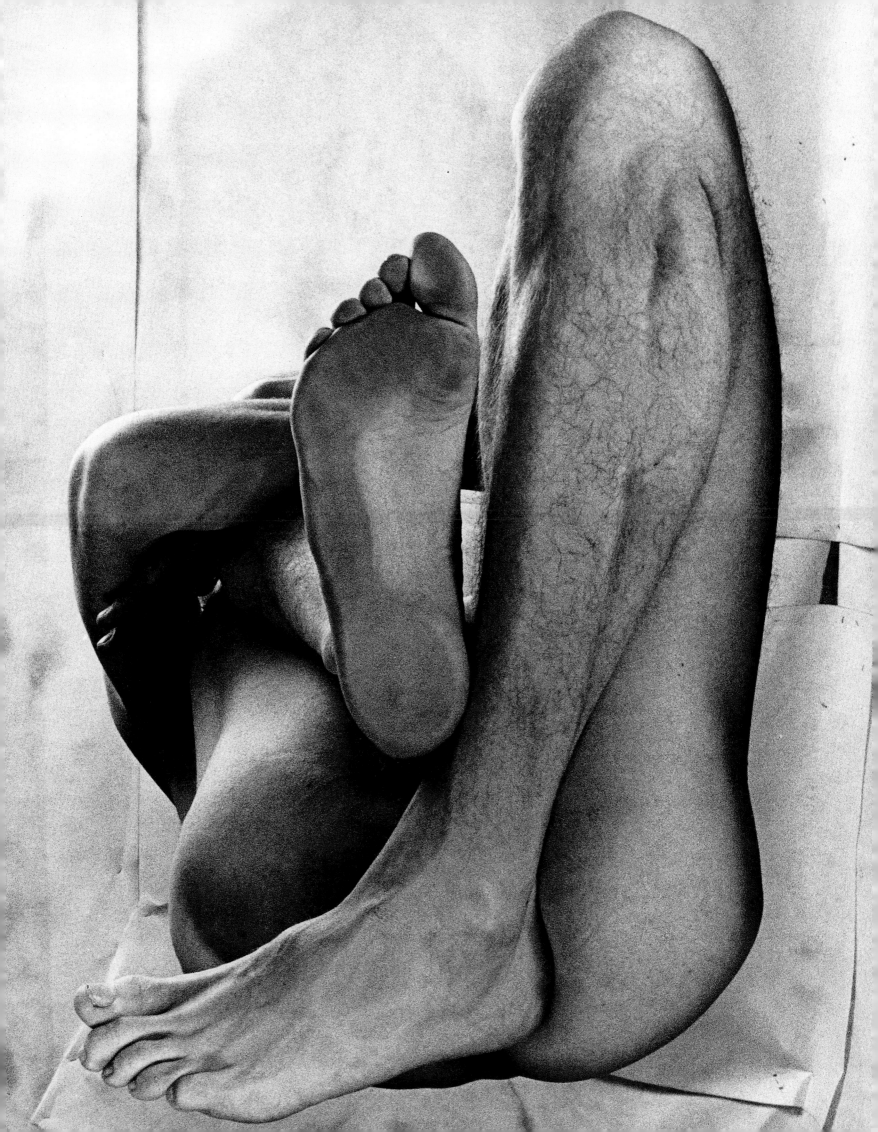

Els Barents

Els Barents is conservator fotografie van het
Stedelijk Museum, Amsterdam.

Els Barents is curator of photography at
the Stedelijk Museum, Amsterdam.

NIEUWE UITGANGSPOSITIES

NEDERLANDSE FOTOGRAFIE
IN DE JAREN '80

The Netherlands
Nederland

Als fenomeen betekent een biënnale meer dan 'zomaar' een tweejaarlijks terugkerend cultureel evenement. Het is zowel een succesvolle formule voor groots opgezette manifestaties met een breed artistiek en politiek bereik, als een duidelijke positiebepaling van de organiserende stad in het internationale kunstenveld. Het principe van een biënnale is ontstaan uit de wens (en de noodzaak) om vanuit het locale culturele klimaat de vinger aan de pols te houden van internationale ontwikkelingen. Deze eerste Fotografie Biënnale Rotterdam bestaat uit individuele selecties per land, met als doel iets van het fotografische klimaat in West en Oost-Europa in kaart te brengen. Een dergelijke opzet heeft het nadeel meer te suggereren, dan feitelijk getoond kan worden; in Nederland is meer aan de hand dan in een presentatie van het werk van drie kunstenaars/fotografen gesignaleerd wordt.
In een dergelijke tentoonstelling wordt echter zeer veel en verschillend werk bijeen gebracht, waardoor een element van verrassing ontstaat. Het vele, het nieuwe en het verre prikkelen de nieuwsgierigheid; op zijn minst is het informatief. In dit opzicht werkt de chemie van een biënnale als een experimenteel en eigenzinnig menu, dat ertoe uitnodigt om nieuwe en exotische geuren op te snuiven. Als zodanig is het bepaald geen risicoloze onderneming en stelt deze structuur eisen aan de presentatie van de exposerende kunstenaars. Meer nog dan de organisatoren, staan zij bloot aan kritiek en waardering en aan die elementen van competitie, die het vergelijkenderwijs kijken met zich meebrengt.
— De drie Nederlanders, ROB NYPELS, HENK TAS en LIDWIEN VAN DE VEN hebben op de uitnodiging gereageerd met het verzoek ook zeggenschap te willen hebben over de ruimte waarin hun werk geëxposeerd zou worden. Zij gaven er de voorkeur aan een installatie te maken, of om in ieder geval ook ruimtelijk een relatie aan te brengen tussen de afzonderlijke fotowerken. Ze zagen zich liever gepresenteerd in een aantal minitentoonstellingen, dan het gevaar te lopen op te gaan in een groter geheel. Wat hier in eerste instantie lijkt op een duidelijke afbakening van het eigen terrein, heeft meer betekenis dan alleen individuele aanpassing van het tentoonstellingsconcept. Anders dan voor beeldend kunstenaars, is het voor fotografen een betrekkelijk nieuw gegeven om ook de vorm en de omgeving waarin het werk wordt getoond van een eigen signatuur te voorzien. Maat en locatie zijn ruimtelijke componenten. Als zodanig zijn het toegevoegde waarden aan de fotografische afbeelding die immers de weergave is van ruimte in twee dimensies. Deze voorkeur voor een ruimtelijke presentatie is onder meer het gevolg van een fundamenteel andere opvatting over het artistiek en maatschappelijk functioneren van de foto als beeld- en betekenisdrager.
— Op initiatief van een jonge generatie beeldend kunstenaars werden, begin jaren '80, nieuwe uitgangsposities ingenomen. Zij voelden zich meer aangetrokken tot de realistische en gedetailleerde manier van afbeelden die het medium eigen is, dan tot de tamelijk idealistische uitgangspunten die, sinds de tweede wereldoorlog, tot de erecode van een fotograaf behoorden, namelijk het maatschappelijk engagement en de directe 'natuurgetrouwe' manier van werken (o.a. het afdrukken van het gehele negatief, het niet ingrijpen in en/of het ensceneren van situaties). Zij onderkenden dat zowel de fotograaf als de fotografie manipuleerbaar was. Voor de jonge generatie was de weergave van 'de realiteit' in zijn maatschappelijke, morele en journalistieke zin een versleten concept. Zij gingen uit van de (als zodanig gevoelde) noodzaak om persoonlijk te reageren op de 'fictieve' realiteit van de (daarmee als conventioneel bestempelde) fotografie, zoals die zich in de media manifesteerde. De wal had het schip gekeerd; niet zozeer de wereld, maar foto's leverden het ruwe, maar 'kneedbare' materiaal dat tot de verbeelding sprak. De eerste aanzet tot verandering dateert uit de jaren '70. De documentaire fotografie had toen veel van zijn oude glans verloren en het zwervende bestaan van een 'fotojournalist' werd door academieverlaters nauwelijks meer aantrekkelijk gevonden.

New
PREMISES

DUTCH PHOTOGRAPHY IN THE 80S

— A Biënnale means more than just a cultural event that takes place every two years. It is a successful formula for ambitiously organised festivals with a broad artistic and political range, as well as a clear definition of the organising city's position within the international field of the arts. The principle of a Biennale originated from the wish (and the necessity) to keep one's finger on the pulse of international developments. The work featured in this first Fotografie Biënnale Rotterdam was chosen on the basis of separate selections for each country, with the intention of charting something of the photographic climate in both East and West Europe. Such a framework has the disadvantage that more is usually suggested than is actually shown; in Holland, for instance, there is more going on than is indicated in a presentation of the work of three artists/photographers. An exhibition of this nature, in which a great deal of very varied work is brought together, also contains an element of surprise. Curiosity is aroused by the prospect of seeing a lot of new work from distant countries; at its best there are 'discoveries' to be made, and at the least it is informative. In this respect the chemistry of a Biënnale works like an experimental menu insistently inviting you to try out new and exotic flavours. As such it is an undertaking that certainly has its risks and which exacts demands on the presentation of the exhibiting artists. More than the organisers they are exposed to criticism and evaluation and to the competetive elements that come with viewing and making comparisons.
— The three Dutch artists ROB NYPELS, HENK TAS and LIDWIEN VAN DE VEN, responded to the invitation to participate with the request that they might have a say in deciding the type of space in which their work would be exhibited. They preferred to make an installation, or at any rate to introduce a spatial relationship among the individual photoworks. For them it was better to present themselves in a number of mini exhibitions than to run the risk of being absorbed into a larger entity. What at first sight seems like a clear demarcation of separate territory, is of more significance than just a different way of adapting to the framework of the exhibition. Unlike visual artists, photographers are relatively unaccustomed to providing the form as well as the environment in which the work is shown with a character of its own. Size and location are spatial components; as such they are added values (a photographic image being the representation of space in two dimensions). This preference for a spatial presentation was, among other things, the result of a fundamentally different conception of the artistic and social function of the photograph as bearer of image and meaning.
— At the beginning of the 80s a young generation of artists took the initiative and adopted new premises. They were felt more drawn to the realistic and detailed manner of depiction peculiar to the medium of photography than to the rather idealistic principles which, since the second world war, were part of a photographer's code of honour, namely social commitment and a direct, 'true to nature' way of working (printing the whole negative, not interfering with and/or posing situations). They recognised that both photographer and photography could be manipulated. For the young generation, the representation of 'reality' in its social, moral and journalistic sense was a worn-out principle. They started out from what they felt was a necessity to react personally to the 'fictional' reality of conventional photography of the type that appeared in the media. It had reached the point that it was not so much the world, but photographs in themselves that were providing the raw, but 'malleable' material that struck the imagination. The first indications of change date from the 70s. Documentary photography had already lost much of its old allure and young academy leavers were

little attracted to the wandering life of a 'photo-journalist'. With their newly formulated principles they distinguished themselves from existing standpoints by regarding the photograph as an object in space instead of as an image, in itself immaterial, on a piece of paper. This meant not only an end to a certain indifference as regards the format of photographs (even museums sometimes ordered them according to the size of archive boxes), but there also arose a clear differentation in the way in which the work of 'photographers' was looked at.

—— Initially, the introduction of this new way of working led to a general confusion with regard to nomenclature. The distinction between photographers in the classical tradition and the new generation was seen as a difference between 'pure' photography and art. Only when Cindy Sherman, one of the precursors of this development, got a one-person exhibition in the Whitney Museum of American Art was the argument won, also with respect to the very closely-knit, long-established history of American photography. The descriptions artist/photographer and photo-artist, or just artist and photographer, became interchangeable.

—— In Holland the changes developed sooner. In 1982 the Stedelijk Museum in Amsterdam organised a solo exhibition by Cindy Sherman and the Rotterdam Art Foundation drew attention to the new development in 'Staged Photo Events', a sensational exhibition for Holland. Framed photographs, ranging from the very large to the very small, displayed a rich diversity of mysterious scenes, which were a cross between film stills and strange miniature landscapes inhabited by little plastic figures. Because of the installation that was also in itself already theatrical, the effect was created of a gaudy environment of fake decors, theatrical poses and picturesque scenes. Opinions were divided: what was it, a funfair or the (frantic) acceleration of postmodern photography? In Holland this new development had its roots in Rotterdam where a number of academy leavers, including Henk Elenga, Henk Tas and Rick Vermeulen, had grouped themselves around Daan van Golden. The somewhat younger Gerald Van Der Kaap was also from Rotterdam.

The official confirmation of Holland's most sensational avant-garde took place in Groningen in 1986, when the Groninger Museum in collaboration with the Rijksdienst Beeldende Kunst (State Visual Art Service) accomodated the exhibition 'Fotografia Buffa'. Here it was no longer a question of the so-called 'Rotterdam School' but of artist-photographers from all over the country. Many of these were connected with the Amsterdam gallery Torch, which at that time functioned as the platform and contact address for these new developments in Holland, which were also followed with interest internationally.

—— Public interest in the work of the Groningen artists' collective 'De Zaak', on the other hand, grew more gradually. Rather than advocate any radical change, De Zaak chose a position between art and so-called 'pure' or 'traditional' (black and white) photography. Though they wanted to intervene in the existing tradition, they saw this in terms of effecting a change in mentality from the inside out. Rob Nypels and Jan Nederveen, for instance, conceived a plan to 'infiltrate' the established structure by offering their services as photo-journalists to a press agency. Eventually they both preferred to embody their ideas in their own work (and to remain artists), rather than work purely on assignment. In contrast to the 'pure blooded' photographers Jan Nederveen and Rob Nypels, some of the members of De Zaak, notably Rini Hurkmans, Jouke Kleerebezem and Hans Scholten, practice photography in addition to their other work (paintings, sculpture, installations). The best definition of their work is clearly 'artists' photography'.

—— Besides the 'Rotterdam School', 'Fotografia Buffa' and 'De Zaak' there are no other current trends in Holland resulting from group activity. Most photographers and artists prefer to work on their own. Each one has chosen a position for himself in the field of forces that is bordered on the one side by 'traditional' photography and on the other side by art. This makes photography in Holland look extremely differentiated and many-sided. The work of Rob Nypels, Henk Tas and Lidwien van de Ven represents a choice both of an artist/photographer from De Zaak and from the Rotterdam School, as well as of an individual approach. Documentary photography is (more or less) represented by Rob Nypels, although if there had been a selection from purely documentary work there are many other photographers who could be mentioned.

—— As this article was being written Gerald Van Der Kaap published another of his manifestos (Post-Modernism can make you blind). The next Biënnale promises to look completely different.

Met hun nieuw geformuleerde uitgangspunten onderscheiden zij zich; onder andere door de foto op te vatten als een object in de ruimte en niet meer als een op zichzelf staande immateriële afbeelding op een stukje papier. Daardoor kwam er niet alleen een einde aan een zekere onverschilligheid ten opzichte van de maat en de vorm van foto's (zelfs musea bestelden ze soms op maat van de archiefdozen) maar ontstond ook een duidelijke differentiatie in de manier waarop tegen het werk van 'fotografen' werd aangekeken.

—— In eerste instantie leidde de introductie van deze nieuwe manier van werken tot een algemene verwarring ten aanzien van de naamgeving. Het onderscheid tussen fotografen in de klassieke traditie en de nieuwe generatie werd gevoeld als een verschil tussen 'pure' fotografie en beeldende kunst. Pas toen Cindy Sherman, een van de voorlopers van deze ontwikkeling, in 1987 een solotentoonstelling kreeg in het Whitney Museum of American Art, was de doorbraak ook in de van oudsher zeer hechte Amerikaanse fotogeschiedenis een feit. Omschrijvingen als kunstenaar/fotograaf en fotokunstenaar of gewoon beeldend kunstenaar en fotograaf worden nu dan ook vaker door elkaar gebruikt.

—— In Nederland zetten de veranderingen eerder door. In 1982 organiseerde het Stedelijk Museum Amsterdam een solo-expositie van Cindy Sherman en signaleerde de Rotterdamse Kunststichting de nieuwe ontwikkeling in 'Staged Photo Events', een voor Nederland opzienbarende expositie. De zeer grote tot zeer kleine, ingelijste foto's toonden een bonte verscheidenheid aan mysterieuze taferelen, die het midden hielden tussen film-stills en vreemde miniatuurlandschappen die door plastic figuurtjes bevolkt werden. Door de op zichzelf theatrale inrichting ontstond het effect van een bont environment van nep-decors, theatrale poses en schilderachtige taferelen. De meningen waren verdeeld: was dit kermis of de (dolgedraaide) stroomversnelling van het post-fotomodernisme? In Nederland had de nieuwe ontwikkeling zijn wortels in Rotterdam, waar een aantal academieverlaters zich rond beeldend kunstenaar Daan van Golden had gegroepeerd. Onder hen waren Henk Elenga, Henk Tas en Rick Vermeulen. En ook de wat jongere Gerald Van Der Kaap was Rotterdammer.

De officiële bevestiging van Nederlands meest opzienbarende avant-garde vond in 1986 in Groningen plaats, toen het Groninger Museum in samenwerking met de Rijksdienst Beeldende Kunst de expositie 'Fotografia Buffa' in huis haalde. Hier ging het niet meer om de zogenaamde 'Rotterdamse School', maar om fotokunstenaars uit het hele land, vertegenwoordigd door de Amsterdamse galerie Torch, op dat moment hèt podium en contactadres voor deze nieuwe ontwikkelingen in Nederland, die ook internationaal met belangstelling werden gevolgd.

—— De publieke belangstelling voor het werk van het Groningse kunstenaarscollectief 'De Zaak' ontwikkelde zich daarentegen geleidelijk. De Zaak stond geen radicale verandering voor, maar koos positie tussen de beeldende kunst en de zogenaamde 'pure' of 'traditionele' (zwart/wit) fotografie. Ook zij wilden ingrijpen in de bestaande traditie maar zagen dat als het bewerkstelligen van een mentaliteitsverandering van binnenuit. Rob Nypels en Jan Nederveen vatten bijvoorbeeld het plan op om in de bestaande structuur te 'infiltreren' door hun diensten als fotojournalist aan te bieden bij een persbureau. Beiden gaven er uiteindelijk de voorkeur aan om hun visie in autonoom werk gestalte te geven (en kunstenaar te blijven), boven het uitsluitend in opdracht werken. Tot de (fotograferende) leden van De Zaak horen onder andere: Rini Hurkmans, Jouke Kleerebezem en Hans Scholten. In tegenstelling tot de 'pur sang' fotografen Jan Nederveen en Rob Nypels, fotograferen zij náást hun andere werk (schilderijen, sculptuur, installaties). Deze fotografie laat zich het duidelijkst omschrijven als 'kunstenaars-fotografie'.

—— Naast de 'Rotterdamse School', 'Fotografia Buffa' en 'De Zaak' zijn er geen nieuwe aanwijsbare andere actuele tendenzen in Nederland van zich in groepsverband manifesterende fotokunstenaars of fotografen. De meeste anderen werken bij voorkeur individueel. Ieder heeft voor zichzelf positie gekozen in het krachtenveld dat enerzijds door de 'traditionele' fotografie en anderzijds door de beeldende kunst wordt begrensd. Dit geeft de fotografie in Nederlands een uitermate gedifferentieerd en veelzijdig aanzien.

Met het werk van Rob Nypels, Henk Tas en Lidwien van de Ven werd gekozen voor een kunstenaar/fotograaf van De Zaak, uit de Rotterdamse School en voor een individuele opvatting. De documentaire fotografie is (min of meer) vertegenwoordigd in het werk van Rob Nypels. Hoewel er, als uit de puur documentaire fotografie gekozen zou worden, ook andere fotografen te noemen zouden zijn.

—— Tijdens het schrijven van deze tekst verscheen er opnieuw een manifest van Gerald Van Der Kaap (Post-Modernism can make you blind). De volgende biënnale zou dan ook wel weer eens een geheel ander aanzien kunnen hebben.

The Netherlands
Nederland

LIDWIEN VAN DE VEN

untitled, 1987

(200 x 300 cm, 160 x 236 cm)

Courtesy galerie Paul Andriesse, Amsterdam

LIDWIEN VAN DE VEN
untitled, 1987
(Baryt print, wood, 178 x 191,7 cm)
Courtesy galerie Paul Andriesse, Amsterdam; foto Peter Cox

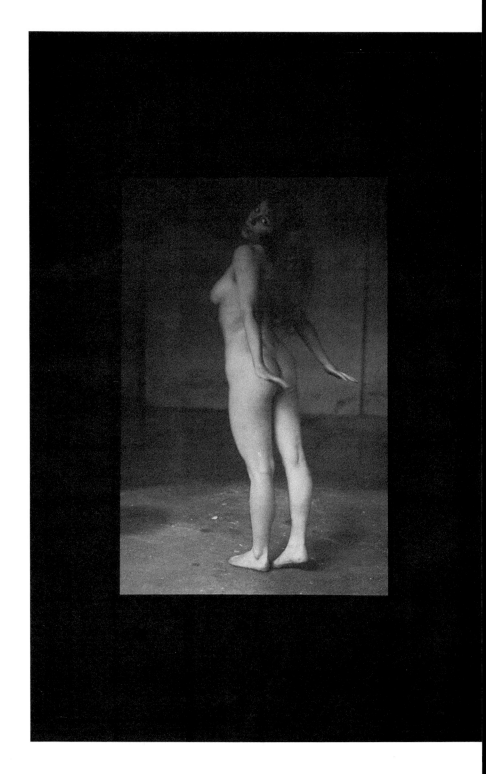

LIDWIEN VAN DE VEI

untitled, 198

Courtesy galerie Paul Andriesse, Amsterdar

(2 x 200 x 300 cm; original in colou

Ingesloten in jouw vingertoppen
Het gerucht van een roos.

ROB NYPELS

untitled, 1987/1988

(120 x 100 cm)

ROB NYPELS

untitled, 1987/1988

(120 x 100 cm)

ROB NYPELS

untitled, 1987/1988

(120 x 100 cm)

ROB NYPELS

untitled, 1987/1988

(120 x 100 cm)

HENK TAS

The Ronettes, 1988

Courtesy Torch, Amsterdam

HENK TAS

untitled, 1988

(90 x 120 cm)

Courtesy Torch, Amsterdam

Ritva Keski-Korhonen

Ritva Keski-Korhonen is director of the Photographic Museum of Finland in Helsinki.

Ritva Keski-Korhonen is directeur van het Fins Fotografie Museum in Helsinki.

Finland
Finland

A MELANCHOLIC ATTITUDE

INTRODUCTION TO FINNISH PHOTOGRAPHY

—— The tradition of Finnish photography has always picked up ideas from international trends. Influences came inititally mainly from Sweden and Germany, while a younger generation has been more interested in the leading photographers from America. Despite this, there has been a touch of originality in the topics chosen and in the honesty of their attitudes. Many artists have gained a new conciousness of being European.

—— The most sincere photographers are well aware of the traps created by fashion and trends. They have persisted in developing their own thoughts, their own ideas of what an image can transmit, and how it reflects the world that is visible to the eye behind the camera into the brain and feelings of the artist. That does not prevent them from going back to the ideologies of older artists; it is just a different way of telling old stories.

—— Taking up memories as things from the past, or feelings that can be recaptured in a combination of surfaces, is a very difficult task. A simple tool like a pair of scissors can take the observer back to his own memory and to wondering about the connection between him and the world of the photographer. Or making portraits, telling the history of a people through their eyes, smiles, poses, expressing love for them in the toning of the print. Expressing sorrow, finding your feelings and revealing them in traditional, safe, familiar surroundings, allowing details to show the connections between people.

—— Finnish photography seems to possess a dark scale of tones, befitting the melancholic attitude of the people.

EEN MELANCHOLIEKE HOUDING
INLEIDING IN DE FINSE FOTOGRAFIE

In de traditie van de Finse fotografie is altijd sprake geweest van het overnemen van internationale trends. In de beginperiode overheerste de invloed van Zweden en Duitsland; de recentere generaties blijken daarentegen goed op de hoogte te zijn van de belangrijkste Amerikaanse fotografen. Desondanks is er altijd sprake geweest van een zekere mate van oorspronkelijkheid in onderwerpkeuze en een integere houding. De binding met Europa is voor het bewustzijn van veel hedendaagse kunstenaars weer belangrijk geworden.

—— De meest oprechte kunstenaars zijn zich welbewust van de vele valkuilen die trends en modes inhouden. Zij volharden in het ontwikkelen van eigen gedachten, van ideeën over het middels een beeld overdraagbare en hoe deze beelden de wereld, die zich via het oog achter de camera in het gevoel en verstand van de kunstenaar blootgeeft, weerspiegelen. Dit weerhoudt hen er niet van terug te grijpen op de ideologieën van vroegere kunstenaars. Op een andere manier wordt een oud verhaal opnieuw verteld.

—— Het ophalen van herinneringen, als dingen van het verleden of het oproepen van emoties in een combinatie van oppervlakken, is een hele moeilijke opgave. Een gewoon stuk gereedschap, zoals bijvoorbeeld een schaar, kan de toeschouwer terug voeren naar zijn eigen herinneringen en hem zich doen verbazen over het verband tussen hemzelf en de wereld van de fotograaf. Of neem portretten: het vertellen van menselijke geschiedenissen door een glimlach, de uitdrukking vann ogen, houdingen; liefde te tonen in de toonwaarde van de afdruk. Het uitdrukking geven aan verdriet, het vinden van je gevoel, en dit te tonen in een traditionele, veilige en vertrouwde omgeving, waarin details de verbintenissen tussen mensen aangeven.

—— De toonschaal van de Finse fotografie is donker; ze beschrijft de melancholieke houding van de mensen.

RAAKEL KUUKKA

Riitta, October 1986

RAAKEL KUUKKA

Father, September 1986

RAAKEL KUUKKA

Regina, September 1986

ULLA JOKISALO

Olemus, 1986

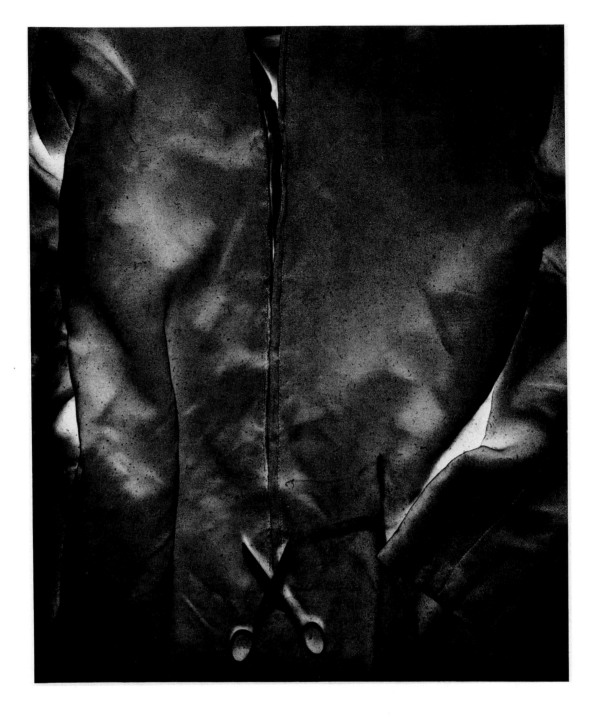

ULLA JOKISALO

Olemus, 1986

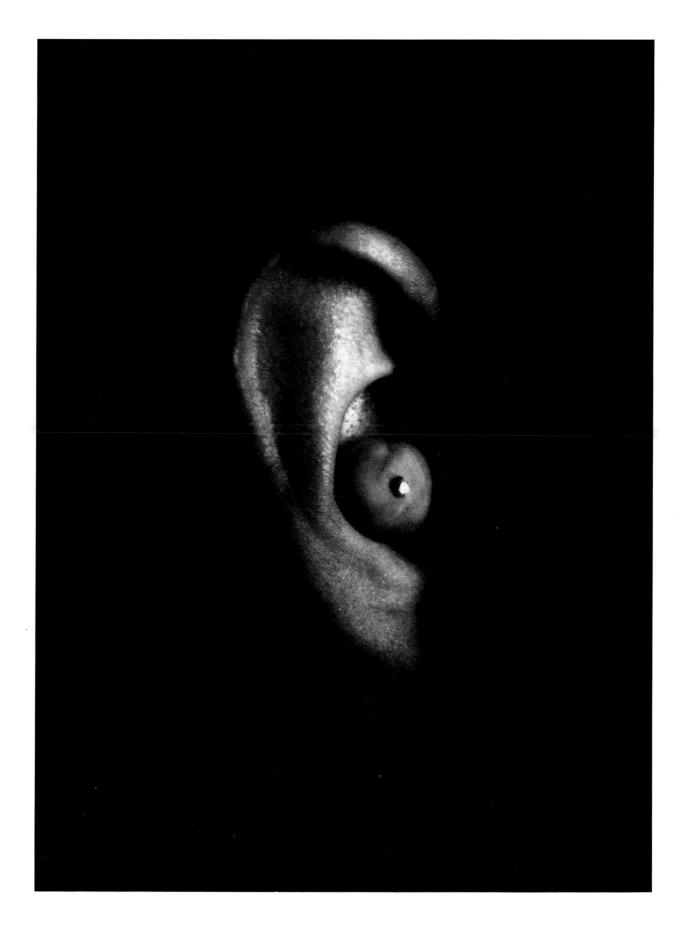

ULLA JOKISALO

untitled, 1986

JORMA PURANEN

untitled, 1986

JORMA PURANEN

untitled, 1986

KARI PAAJANEN

KARI PAAJANEN

From: In The Free Distance of Mind, 1985

KARI PAAJANEN

From: Nimetón, untitled, 1985

CURRICULA VITAE

BELGIË
BELGIUM

MARINA COX

woonplaats
residence
Bruxelles (B)
geboren
born
1960, Cefalu (I)
opleiding
education
1987: Ecole Nationale Supérieure des Arts Visuels de La Cambre Bruxelles.
publicaties
publications
1986: Arts Antiques Auctions, Bruxelles (B); Maison d'art Plaizier, ansichtkaart/postcard, Bruxelles. 1987: Clichés No. 40, Bruxelles; 1988: European Photography No. 33), Göttingen; Focus No. I, Amsterdam.
eenmanstentoonstellingen
one man exhibitions
1986: 'Photographie Ouverte', Charleroi (B); 'Photographie Ouverte', Centre culturel le Botanique, Brussel. 1987: 'View '87'(cat), Palais des expositions, Brussel; Mois de la Photo Liège (cat), ancienne Eglise Saint-André, Liége; 'Young European Photographer '87', Frankfurter Kunstverein, Frankfurt (D).

LUDO GEYSELS

woonplaats
residence
Mortsel (B)
geboren
born
1944, Kontich (B)
opleiding
education
Technicum d'Anvers
publicaties
publications
FOTO, Amersfoort (NL); Créatis, Paris; Clichés, Bruxelles; Perspektief 18/19, Rotterdam; Mots de Passe.
eenmanstentoonstellingen
one man exhibitions
1979: 'Het Autistisch Verbond', Galerij de Zwarte Panter Antwerpen (B). 1980: Vrije Universiteit Bruxelles. 1981: 'Twelve seconds life twelve seconds life', Film International Antwerpen; Galerie Créatis Paris. 1982: Galerie Créatis Paris; Galerie Jean Claude David, Grenoble (F). 1983: 'Tussen afscheid en vertrek',Film International Antwerpen; 'Thisorder', Galerij de Zwarte Panter Antwerpen; Galerie Bilinelli Bruxelles. 1984: Galerie Créatis Paris.
groepstentoonstellingen
group exhibitions
1973: Galerij de Zwarte Panter Antwerpen. 1977: Galerij de Zwarte Panter Antwerpen.1978: Congrespaleis Brussel. 1979: 'Antwerpse grafiek van 1970', Museum voor Schone Kunsten Antwerpen. 1980: Provin-

ciehuis Brabant Brussel; Galerij de Zwarte Panter Antwerpen; 'Magic of nude', Galerij Paule Pia Antwerpen. 1981: Provinciaal Museum Hasselt; 'Magic of Landscape', Galerij Paule Pia. 1982: Galerie Créatis Paris, Biennale de Paris, Paris; Galerij 't Pepertje, Diepenbeek (B). 1983: Selection de la Biennale de Paris, Helsinki (SF), Oslo (N). 1984: Galerij 't Pepertje Diepenbeek (B).
collecties
collections
Ministère de la Culture de France, Paris; Bibliothèque Nationale Paris; Centre Pompidou Paris; Musée de l'Art et de l'Histoire, Fribourg (CH).
overig
other
sinds/since 1968: docent/teacher Technicum d'Anvers; sinds/since 1973: docent/teacher Académie Royale des Beaux Arts d'Anvers. 1981: Prix spécial du jury, Triennale Internationale de la Photographie Fribourg (CH). 1982: Prix de la Province d'Anvers, Prix Agfa. 1984: Prix du Ministère de la Culture flamande.

JEAN-LOUIS GODEFROID

woonplaats
residence
Brussel (B)
geboren
born
1952, Charleroi (B)
opleiding
education
Institut St.Luc, Bruxelles; Atelier du 75, Bruxelles.
publicaties
publications
'Flash', Contretype, Bruxelles; Clichés, Bruxelles. 1981: 'Souvenir of you', Daily Bul.
eenmanstentoonstellingen
one man exhibitions
1978: Galerie Post Scriptum, Bruxelles. 1982: Salon d'Art à Bruxelles. 1987: 'Empreinte', Salon d'Art à Bruxelles.
groepstentoonstellingen
group exhibitions
1984: 'Autour des mots', Botanique, Brussel. 1986: Salon des Arts, Bruxelles
collecties
collections
Bibliothèque Nationale, Paris; Ministère de la Communauté Française.
overig
other
1981-: oprichter en directeur/founder and director Espace Photographique Contretype, Bruxelles.

JEAN JANSSIS

woonplaats
residence
Alleur (B)
geboren
born
1953, Ans (B)

opleiding
education
1975: Romaanse taalkunde/Roman Philology, Université de Liège. 1986: staatsexamen fotografie/matriculation in photography.
publicaties
publications
Photographie Ouverte, Charleroi.
eenmanstentoonstellingen
one man exhibitions
1980: Galerie et Fils, Brussel; Chambre Claire, Namur (B); Musée de l'Architecture, Liège (B). 1981: Centre Culturel de Hasselt, Hasselt (B). 1985: Studi Ethel, Parijs. 1986: Galerie les Chiroux, Luik. 1987: Musée de la Photographie, Charleroi (B).
groepstentoonstellingen
group exhibitions
1979: 'Photographes Liègeois', Liége. 1980: 'Photo moins trente', Photo Fiction, Bruxelles; Musée de l'architecture, Liége; Casino de Spa, Spa (B). 1986: Photographie Ouverte, Charleroi.
overig
other
leraar semiologie, kunstgeschiedenis en fotografieaan het/teaches semiology, history of art and photography, Institut St. Luc de Liège.

STEPHEN SACK

woonplaats
residence
Berlin (D)
geboren
born
1955, Plainfield New Jersey (U.S.A.)
opleiding
education
Ecole Supérieure d'Arts Plastiques de la Cambre, Bruxelles
publicaties
publications
Focale. Bruxelles; Photo Reporter, Paris. Clichés/Photography Annual, New York. 'L'oeil pluriel', Bruxelles. L'encyclopédie internationale des photographes', Lausanne (CH).
eenmanstentoonstellingen
one man exhibitions
1978: 'Dodo', Brussel. 1980: 'WE Dodo', Brussel
groepstentoonstellingen
group exhibitions
1981: Galerie Contretype, Bruxelles; '28 photographes belges et hollandais', Galerie A.A.A., Bruxelles. 1982: 'Offrez-lui son portrait', Galerie Viviane Esders, Paris.
overig
other
fotopresentatie/photopresentation: 1982: 'Photomorphoses', Palais des Beaux-Arts, Bruxelles.

TSJECHOSLOWAKIJE
CZECHOSLOVAKIA

PAVEL JASANSKÝ

woonplaats
residence
Praha (CS)
geboren
born
1938, Praha.
opleiding
education
autodidact/self taught
publicaties
publications
1983: 'Professional Photography Exposed', JCA, Tokyo. 1984: 'Mesto' (The Town), Práce, Praha. 1985: Cs. fotografie No.10.
eenmanstentoonstellingen
one man exhibitions
1966: 'Photography of Children', Wolker Theatre, Praha. 1979: 'Paristory', Fotochema, Praha. 1981: 'Funke's Room' (cat.), Brno; Biblioteca communale, Albinea, Reggio Emilia (I). 1982: Gallery of Middle Slovakia, Banská Bystrica (CS); 'Most', Theatre Rubín, Praha. 1983: 'Masopust', Little gallery of CsS, Praag. 1985: 'Photographs' (cat.), Fotochema, Praha. 1986: 'New Landscape, New Inhabitants' (cat.), Corregio (I). 1987: 'Bodies' (cat.), Fotochema, Praha.
groepstentoonstellingen
group exhibitions
1984,1986: Biennale of Graphic Design, Brno (CS). 1985: International exhibition of Photography, Malmö (S). 1986: Triennale of Theatrical Photography, Novi Sad (YU); 'Boby', Kromeric (CS). 1987: 'Moment', Brno (CS), Bechyne (CS) and Cheb (CS). 1987/88: 'The Town', Brno, Roudnice nad Labem and Cheb (CS). 1988: 'Vision', Cheb, Liberec, Brno.

MICHAL PACINA

(werkt samen met/works with: Tono Stano en/and Rudo Prekop)
woonplaats
residence
Praha (CS)
geboren
born
1958, Praha
opleiding
education
autodidact/self taught
publicaties
publications
1984: Cs. fotografie No.12. 1986: Cs. fotografie No.7.
eenmanstentoonstellingen
one man exhibitions
1979: Rubín Studio, Praha. 1980: Jihlava. 1982: Klicpera Theatre (cat.), Praha.
groepstentoonstellingen
group exhibitions
1986: 'Body', Kromeriz. 1987: 'Moment', Brno (CS), Bechyne (CS) and Cheb (CS). 1987-88: 'Town', Brno, Roudnice nad Labem, Chem (CS).

RUDO PREKOP

(werkt samen met/works with Michal Pacina en/and Tono Stano)
woonplaats
residence
Praha (CS)
geboren
born
1959, Kosice (CS)

opleiding
education
1980-86: Vocational Arts & Crafts School Bratislava en/and FAMU Praha.
publicaties
publications
1986: Cs. fotografie No.7. 1987: Cs. fotografie No.12; Clichés No.39, Bruxelles.
eenmanstentoonstellingen
one man exhibitions
1984: FAMU, Praag. 1985/86: Legnica and Boleslawiec (PL).
groepstentoonstellingen
group exhibitions
1986-88: 'Game for Four', Fotochema, Praha; 'The Body', Kromeriz; Galerie Fabrik, Hamburg; 'Vision', Brno; Liberec; Cheb.

TONO STANO

(werkt samen met/works together with Pacina & Prekop)
woonplaats
residence
Praha (CS)
geboren
born
1960, Zlaté Moravce (CS)
opleiding
education
1980-86: fotografie/photography Vocational School of Arts and Crafts, Bratislava; FAMU, Praha.
publicaties
publications
1986: Clichés No.20; Cs. fotografie No. 7. 1987: Cs. fotografie No. 12; Clichés No.39; 'A History of Nude Photography', London. 1988: Fotografie No.1.
eenmanstentoonstellingen
one man exhibitions
1984: Photo Gallery, Legnica (PL); Boleslawiec (PL). 1986: Fotochema, Praha. 1987: Gallery 4, Cheb.
groepstentoonstellingen
group exhibitions
1984: 'Fotografie na okraji', Fotochema, Praha. 1985: '27 Contemporary Czechoslovak Photographers', London; Bristol. 1985-86: 'In Time (Passing)', Bratislava; Praha; Cheb. 1986: 'The Body', Kromeríz; Fotochema, Praha. 1987: 'The Moment', Brno; Bechyne; Cheb; Galerie Fabrik, Hamburg (D). 1988: 'Vision', Brno; Liberec; Cheb.

MIRO ŠVOLÍK

woonplaats
residence
Praha (CS)
geboren
born
1960, Moravce (CS)
opleiding
education
fotografie/photography at Vocational School of Arts and crafts, Bratislava. -1987: FAMU, Praha.
publicaties
publications
1985: Calendar Deutsche Leasing, Frankfurt (D); Cs. fotografie No.4. 1986: European Photography No.25, 'Preis für junge Europäische Fotografen', Göttingen (D); Cs. fotografie No.2. 1987: Cs. fotografie No.3 & No.12. 1988: Technicky magazin c.1.
eenmanstentoonstellingen
one man exhibitions
1981: Ljubljana (YU). 1985: Zagreb (YU). 1986: Split (YU).
groepstentoonstellingen
group exhibitions
1985: 'Preis für junge Europäische Fotogra-

fen', Frankfurt (D); 'Zeitgenössische Fotografie Ost- und Südosteuropas, Kunstmuseum, Düsseldorf; '27 Contemporary Czechoslovak Photographers', London; Bristol. 198586: 'In Time', Bratislava; Cheb; Praha. 1986: 'The Body', Kromeríz. 1987: Helsinki; 'Seriously', Banská Bystrica; 'Movement Photographed', Bratislava. 1987-88:'The Moment', Brno; Bechyne; Cheb; 'The Town', Brno; Roudnice nad Labem, Cheb.

VLADIMÍR ŽIDLÍCKÝ

woonplaats
residence
Brno (CS)
geboren
born
1945, Hodonín (CS)
opleiding
education
-1975: FAMU, Praha.
publicaties
publications
1983: Commercial Photography Exposed, Tokyo.; Die Fotografie (DDR). 1984: Fotografie No.3.
eenmanstentoonstellingen
one man exhibitions
1977: GVU (Art Gallery), Hodonín. 1980: GVU, Hodonín; Gallery of Jaroslav Král, Brno. 1981: Rubín Theatre, Praha. 1982: Gallery of Antonín Tryb, Brno. 1983: Exhibition Room of the Union of Artists, Bratislava. 1985: Moravská Galerie, Brno. 1986: GVU, Hodonín; GVU, Nové Mesto na Morave; Galerie Nord, Lipsko (DDR); Galerie Recickych, Praha. 1987: Galerie Image, Aarhus Kunstmuseum, Aarhus (DK); Museet for Fotokunst, Odense (DK); La Maison Internationale, Rennes (F); Rencontres Photographique en Bretagne, Lorient (F). 1988: MaiPhotographies, Quimper (F); Vychodoslovenska galerie. Kosice.
groepstentoonstellingen
group exhibitions
1980-: diverse met/various with FAMU. 1973: 'Czechoslovak Photography 1971-72', Moravská galerie, Brno. 1975: 'Landscape in Contemporary Moravian Photography', GVU, Hodonín. 1976: 'Portrait in Contemporary Moravian Photography', GVU, Hodonín. 1982: 'Topical Photography', Moravská galerie, Brno. 1984: Little Gallery of ZPAF, Gorzów (PL); San Francisco Museum of Modern Art. 1985: Thackrey & Robertson Gallery, San Francisco; Kunstmuseum Düsseldorf (D). 1986: Galerie Arena, Arles (F). 1987: Galerie Keller, München (D); Museum of Photography, Kaunas (USSR). 1988: Museum of Photography, Vilnius (USSR); Robert Koch Gallery, San Francisco.
overig
other
Oprichter fotografische collectie/founder of the photographic collection in the Regional Gallery of Arts in Hodonín. 1977-82: hoofd van de afdeling toegepaste fotografie/ head of the department of applied photography at the Vocational School of Industrial Arts, Brno.

PETER ŽUPNÍK

woonplaats
residence
Praha (CS)
geboren
born
1961, Levoca (CS)
opleiding
education
1980: Vocational Arts & Crafts School, Kosice. 1986: FAMU, Praha.

publicaties
publications
1985: Fotografie No.1; Slovensko No. 8. 1986: Fotografie No.2; Cs. fotografie No.5; Cs. fotografie No. 7.
eenmanstentoonstellingen
one man exhibitions
1981: Kosice. 1985: FAMU, Praha; Palace of Culture, Praha; GAMA Gallery (cat.), Zilina (cat.). 1986:, Gallery Okno (cat.), Legnica (PL); Fotochema, Praha.
groepstentoonstellingen
group exhibitions
1982- diverse met/various with FAMU. 1983: Galerie Antrazit, Essen (D). 1985: '27 Czechoslovak Photographers', The Photographers' Gallery, London; Bristol. 1987: 'Okamzik' (The Moment), Brno; Bechyne; Cheb. 1987-88: 'Mesto' (The Town), Brno; Roudnice nad Labem; Cheb. 1988: 'The Vision', Cheb; Liberec; Brno.

OOSTENRIJK
AUSTRIA

SEIICHI FURUYA

woonplaats
residence
Graz (A)
geboren
born
1950, Izu (JAP)
opleiding
education
Tokyo College of Photography, 1967-1970.
publicaties
publications
1980: Camera Austria no.1. 1981: 'AMS', Graz (A); Camera Austria no.6. 1983: Camera Mainichi, Tokyo.
eenmanstentoonstellingen
one man exhibitions
1972: Fuji-Salon, Tokyo. 1975: Fotogalerie im Schillerhof, Graz (A). 1979: Galerie im Taxispalais, Innsbruck (A). 1980: Fotogalerie im Forum Stadtpark, Graz (A). 1982: Nagase Fotosalon, Tokyo; Canon Photo Galery, Amsterdam. 1983: Galerie 7-Stern, Steyr (A); Kulturhaus der Stadt Graz, Graz. 1988: Neue Galerie am Landesmuseum Joanneum, Graz.
groepstentoonstellingen
group exhibitions
1979: Fotogalerie im Forum Stadtpark, Graz. 1981: 'Neue Fotografie aus Österreich' (cat), Forum Stadtpark Graz (cat.); 'Erweiterte Fotografie'(cat), Wiener Secession, Vienna (A). 1982: 'Lichtbildnisse' (cat), Rheinisches Landesmuseum, Bonn (D). 1983: 'Portraits', Fotogalerie Forum, Tarragona (S); 'Geschichte der Fotografie in Österreich' (cat), Museum des 20.Jahrhunderts, Wien. 1984: 'Neue Fotografie aus Wien' (cat), Galerie Gabriel, Wien. 1985: 'Six Austrian Photographers'. Arbitrage Gallery, New York; Municipal Art Gallery, Los Angeles. 1988: 'Die Rache der Erinnerung', Styrian autumn, Forum Stadtpark Graz.
overig
other
lid van/member of Forum Stadtpark Graz; oprichter/founder 'Österreichisches Fotoarchiv im Museum Moderner Kunst', Wien; mede-uitgever/co-editor 'Shomei Tomatsu. Japan 1952-1983', Graz 1984.

TAMARA HORAKOVA

woonplaats
residence
Fürstenfeld (A)
geboren
born
1947, Praha (CS)
opleiding
education
Akademie der Bildenden Künste, Wien (A)
eenmanstentoonstellingen
one man exhibitions
(met/with Ewald Maurer): 1985: 'Bildtransfer'(cat), Forum Stadtpark Graz. 1987: '2RUN', Neue Galerie am Landesmuseum Joanneum, Graz. 1988: '24 Clothes pegs' (cat), Wiener Secession, Wien.
groepstentoonstellingen
group exhibitions
1986: 'Förderungspreis des Landes Steiermark', Neue Galerie, Graz.

EWALD MAURER

woonplaats
residence
Fürstenfeld (A)

(Selected)
curricula vitae

geboren
born
1947, Fürstenfeld
opleiding
education
Akademie der Bildenden Künste, Wien (A)
eenmanstentoonstellingen
one man exhibitions
(met/with Tamara Horakova): 1985: 'Bild-transfer' (cat), Forum Stadtpark Graz. 1987: '2RUN' (cat), Neue Galerie am Landesmuseum Joanneum, Graz. 1988: '24 Clothes pegs' (cat), Wiener Secession, Wien.
groepstentoonstellingen
group exhibitions
1986: 'Förderungspreis des Landes Steiermark', Neue Galerie, Graz.

MICHAELA MOSCOUW

woonplaats
residence
Wien (A)
geboren
born
1961, Wien
opleiding
education
1976-81: Graphische Lehr- und Versuchanstalt, Wien.
publicaties
publications
1983:
1987: 'Ich-Bilder/Welt-Bilder', Camera Austria 23/87, Graz (A).
eenmanstentoonstellingen
one man exhibitions
1987: 'Made in Paradise', Fotoforum Bremen, Bremen (D). 1988: 'Beethoven-Gang', Liget Galéria, Budapest (H).
groepstentoonstellingen
group exhibitions
1983: 'Neue Fotografie aus Wien' (cat), Fotogalerie Wien, Vienna. 1984: 'Februarkämpfe 1934-1984' (cat), Fotogalerie Wien, Vienna. 1985: 'Das Sofortbild', Fotogalerie Gabriel, Vienna; 'Vier Wege', Österreichisches Fotoarchiv im Museum Moderner Kunst, Vienna. 1986: 'Ich-Bilder/Welt-Bilder', Forum Stadtpark Graz. 1987: 'Fotografie in Österreich' (cat), Museum Folkwang, Essen; 'Photographische Imagerie' (cat), Galerie Faber, Vienna; 'Zeitgenossenschaft/The Contemporary', Symposium Über Fotografie, Forum Stadtpark, Graz.
overig
other
deelnemer/participant 1982: free-lance grafisch ontwerper en kunstenaar/free lance grafic designer and artist Symposium on Photography 1987; 1987: 'Zeitgenossenschaft/The Contemporary", Forum Stadtpark Graz.

MANFRED WILLMANN

woonplaats
residence
Graz (A)
geboren
born
1952, Graz
opleiding
education
1966-1970 School of Arts and Crafts, Graz; 1970-71, Master Class applied Graphics.
publicaties
publications
1975: 'Bregenz sehen', Bregenz (A). 1981: 'Schwarz und Gold', Graz. 1982: 'Austrian Photography Today', New York (USA). 1983: 'Die Welt ist schön', Graz; 'Ich über mich', Texte von Helmut Eisendle, Graz (A).

eenmanstentoonstellingen
one man exhibitions
1981: Arhiv TD, Zagreb (YU); Kulturhaus Graz. 1982: Folkwangschule Essen. 1983: Galerie Agathe Gaillard Paris. 1985: 'Die Welt ist schön', Rheinisches Landesmuseum Bonn; Museo de Arte Moderne, Tarragona (E). 1985: Happy Gallery Beograd (YU). 1987: Fotogalerija Novo Mesto (YU). 1988: Frankfurter Kunstverein, Frankfurt (D).
groepstentoonstellingen
group exhibitions
1974: 'Kreative Fotografie aus Österreich' (cat), Palais Thurn & Taxis Bregenz (A). 1977: 'Projekt Thondorf' (cat), Forum Stadtpark Graz. 1979: 'Photographie als Kunst 1879-1979, Kunst als Photographie 1949-1979' (cat), Museum des 20.Jahrhunderts Wien. 1980: 'New York' (cat), Forum Stadtpark Graz. 1981: 'Fotografia Austriaca', Consejo Mexicano de Fotografia, Mexico City (MEX); 'Träume' (cat), Modern Art Gallery Wien. 1982: 'Lichtbildnisse' (cat), Rheinisches Landesmuseum, Bonn; 'Austrian Photography Today' (cat), Austrian Institute, New York; 'Förderungspreis für Fotokunst', Museum moderner Kunst, Wien. 1983: 'Geschichte der Fotografie in Österreich' (cat), Museum des 20.Jahrhunderts Wien. 1984: '15ème Rencontres Internationales' (cat), Arles (F). 1985: 'Six Austrian Photographers' (cat), Arbitrage Gallery New York, Municipal Art Gallery, Los Angeles. 1986: 'The collection of the Museum of Modern Art', Museum of Modern Art, New York. 1987: 'Fotografie in Österreich' (cat), Museum Folkwang Essen. 1988: 'Image and Emphasis', Allen Center, Houston (USA); 'Alternate Images', The Space, Houston.
overig
other
Sinds since 1975: manager Fotogalerie Forum Stadtpark, Graz; sinds/since 1980: uitgever/editor Camera Austria photographic magazine, Graz.

FRANKRIJK
FRANCE

JOACHIM BONNEMAISON

woonplaats
residence
Paris (F)
geboren
born
1943 (F)
opleiding
education
landbouwingenieur/agricultural engineer, autodidact/self-taught in photography
publicaties
publications
1978: Camera (CH). 1976-1980: 'Jeune Photographie', Fondation Nationale de la Photographie, Lyon. 1984: 'La Photographie créative contemporaine' (cat), J.C. Lemagny, Mois de la Photo, Paris. 1985: 'Vienne la photographie' (cat), Vienne (F).
eenmanstentoonstellingen
one man exhibitions
1978: Maison de la Culture André Malraux, Reims (F). 1979: Centre d'Information Kodak Paris. 1981: 'Espace couleur à 360°' (cat), Rencontres Internationales de la Photographie (cat), Arles (F). 1982: Rétrospective Musée Nicéphore Nièpce (cat), Chalon-sur-Saône (F). 1983: Galerie Paule Pia, Antwerpen (B), Maison de la Culture, Colombes (F). 1984: 'Dijon vu par ....', Hôtel de Ville Dijon (F). 1985: Musée Municipal, Rimini (I). 1987: 'D'un mouvement, l'autre: la mer à ciel ouvert et le regard.', Caméra Panoptica, Galerie Michèle Chomette, Paris.
groepstentoonstellingen
group exhibitions
1977: 'Architecture' Vinci 1840, Paris. 1978: Galerie de Photographie de la Bibliothèque Nationale, Paris. 1980: 'Farbwerke', Musée d'Art Moderne, ZÜrich. 1981: Galerie Zabriskie, Paris. 1982: 'Arbres' (cat), Palais des Beaux Arts Charleroi (B). 1983: 'Arbres', Photographies et paysages des XIX et XX siècles', BPI Centre Georges Pompidou, Paris. 1984: 'Construire les paysages de la photographie: 21 auteurs et plasticiens contemporains' (cat), Caves Sainte Croix, Metz (F); AIPAD, New York (USA). 1985: 'fünf mal fünf' (aspects de la photographie française contemporaine) reizende tentoonstelling/travelling exhibition (D)) , 'Construire les paysages de la photographie', Musée des Beaux Arts, Tours (F). 1986: 'Constructions et fictions', 12 artistes français et l'image photographique' (cat), Biennale di Venezia, reizende tentoonstelling/travelling exhibition, Napoli, Erlangen, München, Frankfurt, Den Haag...., Houston, AIPAD (USA). 1987: 'Vom Landschaftsbild zur Spurensicherung', Museum Ludwig, Köln.
collecties
collections
Bibliothèque Nationale Paris, Musée Nicéphore Nièpce Chalon-sur-Saône, Ville de Paris, Ville de Metz;
Musée de Dijon; Musée d'Aurillac, FRAC Haute Normandie; FRAC Languedoc-Roussillon; FRAC Lorraine.
overig
other
prijzen/awards:1978: Prix de la Critique Photographique. 1980: Lauréat de la Fondation Nationale de la Photographie. 1979-81: oprichter fotografie-onderwijs/founder photografic education at the École Nationale Supérieure des Beaux Arts de Dijon. 1982: werkbeurs/bursary Ville de Paris; 1985: opdracht/commission Ville de Metz. 1981-85: ontwikkeling/development Fotocamera.

1986: ontwikkeling/development Caméra Panoptica.

PASCAL KERN

woonplaats
residence
Paris (F)
geboren
born
1952
opleiding
education
1970-75: grafische werkplaats/graphic workshop Ecole des Beaux-arts, Paris. 1974-80: Université Paris I, plastische vormgeving/plastic design.
publicaties
publications
1984: 'La sculpture plane de P.K.', Art Press no.85. 1985: 'Three French Artists', The New York Times; 'Des photos en sculpture', Libération; 'Sans Titre' (cat), ICAP Houston, Texas (U.S.A.). 1986: 'L'Éternité Heureuse', William Blake & Co. 1987: 'De la Fiction', GERMS, Paris; 'P.K. Le théatre de l'ambigu', Beaux Arts no.47.
eenmanstentoonstellingen
one man exhibitions
1980: 'Usine à Bastos', Ateliers contemporains du Musée d'Art Moderne, centre Pompidou, Paris. 1982: 'Cinéma l'Epatant'& 'Trois Installations', Usine Pali-kao, Paris. 1985: 'Coloured Fiction', Galerie Anna Leonowens, Halifax (CDN); 'Fictions Colorées', Galerie Zabriskie, Paris en/and FRAC Champagne-Ardennes, Chaumont (F). 1986: 'Fictions Colorées', Galerie Thomas Barry Fine Arts, Minneapolis (USA); 'Icônes', Galerie Zabriskie, Paris. 1987: 'Icônes', Galerie Zabriskie New York (USA). 1988: 'Icônes & Fictions Colorées', Institut Français, Köln (D).
groepstentoonstellingen
group exhibitions
1976: 'Assemblages', Musée National d'Art Moderne, Palais de Tokyo, Paris. 1982: 'XII Biennale de Paris', 'Livres d'artistes', Paris. 1983: 'Art Provisoire III', Palais des Congrès, Le Mans (F). 1983/1985: 'Images Fabriquées', reizende tentoonstelling/travelling exhibition Musée National d'Art Moderne Paris. 1984/85/86: 'XXIX, XXX & XXXI Salon de Montrouge', Montrouge (F). 1985-86: 'Des intrus dans la photographie', reizende tentoonstelling/travelling exhibition Musée d'Annecy, de Besançon, de Rosny/Seine en/and du Havre. 1985-1987: 'Divers work Incorporated', reizende tentoonstelling/travelling exhibition Houston (USA), New York, San Francisco en/and Canada. 1985: 'Accrochage', Galerie Zabriskie, New York; 'Journées Jeunes Créateurs', Galerie Zabriskie, Paris. 1986-88: 'Constructions et Fictions'(cat), AFAA, Venice (I), Napoli (I), München (D), Berlin (D). 1986: 'L'Éternité Heureuse - Faucon - Kern - Rousse', Musée des Beaux Arts Bar le Duc (F) et Galerie Passage, Troyes (F). 1986-87: 'A Visible Order', Galerie Lieberman & Saul, New York. 1987: 'The Spiral of Artificiality' (cat), Hallwalls, Buffalo (USA)
collecties
collections
Musée de Belfort, Musée d'Aurillac, Musée du Havre, Musée de Strasbourg, Musée d'Art Moderne de la Ville de Paris, Bibliothèque Nationale, Paris, Fondation Cartier; FNAC; FRAC du Pays de Loire; FRAC Champagne-Ardennes; FRAC-Picardie; FRAC Haute Normandie.

overig
other
1976: lezingen/lectures Musée d'Art Moderne. 1979: docent/teacher Ecole des Beauxarts de la Ville du Mans.
1985: 'Prix spécial du jury', Salon de Montrouge (F); 'Bourse d'aide à la création' FIACRE Ile de France. 1987: 'Médicis hors les murs', New York.

PHILIPPE & SYLVAIN SOUSSANS

woonplaats
residence
Paris (F)
geboren
born
Philippe: 1961, Bayonne (F), Sylvain: 1959, Paris
eenmanstentoonstellingen
one man exhibitions
1985: Galerie Zabriskie, Paris; Artothèque de Saint-Pol-sur-Mer.
groepstentoonstellingen
group exhibitions
1984: Musée de la Roche-sur-Yon. 1985: Contemporary Photo and Video from France, Houson (USA); French Festival, Minneapolis (USA); Center for Contemporary Arts, Santa Fé; Visual Studies Workshop, Rochester (USA); Biennale d'Art Contemporain, Tours (F); Galerie Nicola Jacobs, London. 1986: 'Theatre des Réalités', Metz pour la Photographie, Metz, Parijs; Biennale d'Art Contemporain, Tours. 1987: 'Constructions et fictions', reizende tentoonstelling/travelling exhibition; 'Les Miroirs qui se souviennent', Corneilles en Parisis. 1988: La Vilette, Paris.
collecties
collections
Musée de la Roche-sur-Yon; Fonds National d'Art Contemporain, Paris.

WEST-DUITSLAND
WEST GERMANY

RUDOLF BONVIE

woonplaats
residence
Köln (D)
geboren
born
1947 Hoffnungsthal (D)
eenmanstentoonstellingen
one man exhibitions
1975: 'Fotografien 1973-1976', Galerie Haus 11, Karlsruhe (D). 1979: 'VorherNachher-'(cat), Kunstverein Gelsenkirchen (D). 1982: 'Die Jagd ist eröffnet...', Galerie Magers, Bonn (D), Produzentengalerie Hamburg (D). 1985: 'Fotoarbeiten, Skulpturen, Zeichnungen', Galerie Schneider, Konstanz (D); Astrid Klein - Rudolf Bonvie, 'Fotoarbeiten' (cat), Kunsthalle Bielefeld (D). 1986: 'Zeichnungen 1981-1985', Artothek Köln.
groepstentoonstellingen
group exhibitions
1979: 'Schlaglichter' (cat), Rheinisches Landesmuseum Bonn. 1982: 'Preisträger aus dem Forum Junger Kunst' (cat), WÜrttembergischer Kunstverein, Stuttgart (D); 'Mit Fotografie' (cat), Museum Ludwig Köln (cat.). 1983: '8 in Köln', Kölnischer Kunstverein; 'Photocollagen' (cat), NGBK, Berlin; 'Ansatzpunkte kritischer Kunst heute' (cat), Bonner Kunstverein, NGBK Berlin. 1984: 'New Media II', Malmö Konsthall (DK); 'Fotoszene Köln' (cat), Galerie Holtmann, Köln. 1985: 'Medium Photographie' (cat), Kunstverein Oldenburg (D), 'Elementarzeichen' (cat), Neuer Berliner Kunstverein, Berlin. 1986: 'Reste des Authentischen, Deutsche Fotobilder der 80er Jahre' (cat), Museum Folkwang Essen (D).

ELFI FRÖHLICH

woonplaats
residence
Berlin (D)
geboren
born
1951, Lünen/Nordrein-Westfalen (D)
opleiding
education
1986-71: Werkkunstschule Dortmund (D). 1970: College of Art, leeds (GB). 1971-76: Hochschule der Künste, Berlin (D). 1978-79: Künstlerweiterbildung, Berlin (D).
eenmanstentoonstellingen
one man exhibitions
1988: Galerie Apex, Göttingen (D).
groepstentoonstellingen
group exhibitions
1980: 'Punk gegen Bürgerwehr', Chaos, Berlin. 1982: 'Gefühl und Härte - Berlinbilder' (cat), Kulturhaus, Stockholm; 'Berlin-Amsterdam', De Meervaart, Amsterdam. 1983: 'Groszstadschungel' (cat), Kunstverein, München; '22 Fotografinnen - ein Querschnitt zeitgenÖssischer Fotografie' (cat), Hahnentör, Köln. 1985: 'Licht' (cat), Museum für Verkehr und Technik, Berlin; 'Elementarzeichen' (cat), Kunsthalle, Berlin. 1986: 'Hautnah' (cat), Künstlerwerkstatt, München. 1987: '10 Deutsche Fotografinnen' (cat), reizende expositie/traveling exhibition Goethe Institut. 1988: 'Photographers from Berlin', Linden Gallery, Melbourne (AUS).
overig
other
sinds/since 1981: docente/teacher Hochschule der Künste Berlin. Stipendia/bursaries in 1980, 1986, 1987.

MICHAEL SCHMIDT

woonplaats
residence
Berlin (D)
geboren
born
1945, Berlin
publicaties
publications
1973: 'Berlin-Kreuzberg', Berlin. 1978: 'Berlin Stadtlandschaft und Menschen', Berlin; 'Berlin-Wedding', Berlin. 1979: 'In Deutschland', Rheinisches Landesmuseum Bonn. 1980: 'Michael Schmidt und Schüler', Berlin; 'Absage an das Einzelbild', Museum Folkwang Essen. 1981: 'Internationales Fotosymposion' München. 1982: 'Benachteiligt', Berlin. 1983: 'Berlin-Kreuzberg', Berlin. 1984: 'Fotografie aus Berlin', New York. 1987: 'Waffenruhe', Berlin; 'Michael Schmidt, Bilder 197986', Hannover (D).
eenmanstentoonstellingen
one man exhibitions
1973: Berlin Museum, Berlin. 1975: Galerie Springer, Berlin. 1981: Museum Folkwang Essen (D). 1982: Forum Stadtpark Graz (A). 1983/84: Pollstudio, Berlin. 1985: Museo de Rimini, Rimini (I). 1987: Berlinische Galerie, Berlin; Spectrum Galerie im Museum Sprengel Hannover (D); Museum Folkwang Essen
overig
other
oprichter en manager fotografie/founder and manager photography Volkshochschule Kreuzberg; docent/teacher Gesamthochschule Essen, HdK Berlin.

GROOT-BRITTANNIË
GREAT BRITAIN

YVE LOMAX

woonplaats
residence
London
geboren
born
1952, Poole (GB)
opleiding
education
1971-75: St.Martins School of Art. 1977-1979: Royal College of Art. M.A. in Environmental Media.
publicaties
publications
1979: 'Some Stories Which I Have Heard: Some Questions Which I Have Asked', three perspectives on photography, Art Council of Great Britain. 1982: Camerawork no.24 'Montage And The Question of Style'. 1983: Camerawork no.26 'When Roses Are No Longer Given A Meaning in Terms of A Human Future'. 1984: Feminist Review no.18, 'A Metaphorical Journey'. 1985: Camerawork no.32 'Discussion on Post-Modernism' met/with Carl Gardener; 'Double-Edged Scenes - Writings 1981-1983', in eigen beheer uitgegeven/self published. 1986: 'Future Politics/The Line in the Middle', gepubliceerd met/published with Susan Trangmar. 1987: 'More and No More Difference', Screen Magazine vol.28 no.1.
eenmanstentoonstellingen
one man exhibitions
1988: Interim Art, London.
groepstentoonstellingen
group exhibitions
1979: 'Three Perspectives on Photography', Hayward Gallery, London. 1982: 'Light-Reading', B2 London. 1983: 'Photo (Graphic) Vision', Winchester Gallery, Winchester (GB). 1984: 'Camerawork Retrospective', Royal Festival Hall, London; 'Expanded Media Show'. Untitled Gallery, Sheffield; 'On Difference', New Museum of Contemporary Arts, New York.
overig
other
1981-84: redaktielid/editorial board Camerawork Magazine. 1984-85: Greater london Visual Arts Panel. 1986-87: part time docent/teacher Photography Department, London College of Printing.

MARI MAHR

woonplaats
residence
London (GB)
geboren
born
1941, Santiago (RCH)
opleiding
education
1961-64: School of Journalism, Budapest (H). 1972-76: Polytechnic of Central London, B.A. in Photographic Arts.
publicaties
publications
1979:'European Colour Photography', London. 1980: Creative Camera. 1982: Creative Camera. 1983: 'Strategies: recent developments in British photography', Rupert Martin, London. 1986: Creative Camera.
eenmanstentoonstellingen
one man exhibitions
1977: The Photographers Gallery London; Canon Photo Gallery Amsterdam. 1978: Riverside Studios London. 1979: Light Factory, Charlotte (USA); Gallery ABF Hamburg (D).

1980: Open Eye Gallery Liverpool (GB). 1982: Moira Kelly Fine Arts, London; Il Diaframa/Canon Milano (I). 1987: The Photographic Center Athens.

groepstentoonstellingen
group exhibitions
1978: 'Fantastic Photography in Europe', Amsterdam. 1979: 'European Colour Photography' London. 1980: 'Photography as Art - Art as Photography, Kassel (D). 1981: 'The Thin Line II', Mexico.
1982: 'Private News', Art Council Collection Exhibition, London. 1983: 'Autographs', Cambridge Darkroom; 'Strategies', British Council, reizende tentoonstelling/travelling exhibition; 'New Work by Nine Photographers, British Council. 1984: 'Multiple Images', The Photographers' Gallery London; European Color Photography, Musée de Vienne (F). 1985: 'Four British Photographers', Fay Gold Gallery (U.S.A.); 'Multiple Images', The Photographers' Gallery, London; 'Sky', Cambridge Darkroom. 1986: Rencontres Internationales de la Photographie, Arles (F); 'New Acquisitions in Photography', Victoria & Albert Museum.

(Selected)
curricula vitae

SPANJE
SPAIN

PABLO PÉREZ MÍNGUEZ

woonplaats
residence
Madrid (E)
geboren
born
1946, Madrid
publicaties
publications
1987: 'Madrid Hoy', Madrid.
eenmanstentoonstellingen
one man exhibitions
1980: Galeria Buades, Madrid. 1981: 'Diapo Party', Museo Español de Arte Contemporaneo. 1982: 'Dioses y reinas', Galeria Pentaprisma, Barcelona; 'Heroes', Galeria SEN, Madrid. 1983: 'Virgenes y martires', Galeria Palace, Granada; Galeria Ateneo Málaga. 1984: 'Gaitanes', Colegio de Arquitectos de Màlaga, Màlaga. 1985: 'Lo Hipnotico es estético', Galeria Spectrum, Zaragoza (E); 'Arco Iris Foto Express', ARCO Madrid. 1986: 'Fotolaberintos', Galeria Palace Granada. 1987: 'ARCO 87', Galeria SEN, Madrid.
overig
other
1971: oprichter/founder Nueva Lente. 1974: oprichter/founder Photogaleria y Photocentro Madrid, Madrid.
1975-76: 'Photoescuele', Madrid. 1984-86: Radioprogrammamaker/director of the radio programme 'Foto Talker', Radio 3 (RNE).
seminars: 1975-76 'Photoescuola" Madrid. 1979: 'Primeros encuentros de fotografia', Málaga. 1984: 'Foto/Futural', Madrid. 1984-87: Universidad Internacional Menendez Pelano, Santander. 1986: 'Fotologia', Universiteit/university Granada.

JORGE RIBALTA

woonplaats
residence
Barcelona (E)
geboren
born
1963, Barcelona
opleiding
education
Facultat de Belles Arts de Barcelona, Barcelona.
publicaties
publications
1988: 'Estampes Apocrifes', Metronom, Primavera Fotogràfica (cat.).
eenmanstentoonstellingen
one man exhibitions
groepstentoonstellingen
group exhibitions
1985: 'Foto 85', Sala Arcs, Barcelona; HBK, Braunsschweig (D). 1988: 'Estampes Apocrifes' (cat), Metronom, Primavera Fotogràfica.
overig
other
criticus tijdschrift/critic magazine 'La Vanguardia', Barcelona.

NOORWEGEN
NORWAY

MARIUS BORGEN

woonplaats
residence
Oslo (N)
geboren
born
1955, Oslo
opleiding
education
1981-82: Sir John Cass School of Arts.
publicaties
publications
1981: Fotoforum. 1982: British Journal of Photography.
eenmanstentoonstellingen
one man exhibitions
1982: Sir John Cass School of Arts, London. 1983: Impressions Gallery of Photography, York (GB).
groepstentoonstellingen
group exhibitions
1981: Northern Lights, The Photographic Gallery, Cardiff. 1982: Photographic Spring Exhibition, Oslo. 1983: Union of Art Photographers Exhibition, Oslo. 1987: SIMULO (cat.), Contemporary Norwegian Photography, Oslo.

PER ODDVAR MANING

woonplaats
residence
Oslo (N)
geboren
born
1943, Oslo
opleiding
education
Akademiet for Fri og Markantil Kunst, Copenhagen (DK).
publicaties
publications
1984: 'Jo Takk Det Ble En Velskapt Hund!'. 1985: Vindkommoden.
eenmanstentoonstellingen
one man exhibitions
1988: Fotogalleriet, Oslo.
groepstentoonstellingen
group exhibitions
1983: Art Association of Trondheim (N). 1984: Art Association of Bergen (N). 1987: 'SIMULO', Contemporary Photography' (cat.), Oslo. 1988: Galleri Riis, Oslo.
overig
other
1986: 'Selevandring' (video), Kulturhuset Stockholm (S).

MIKKEL MC

woonplaats
residence
Oslo (N)
geboren
born
1963, Oslo
publicaties
publications
1988: zelf uitgegeven boek over New York/ privately published artist book on New York.
eenmanstentoonstellingen
one man exhibitions
1983: Galleri Kamelon, Café Blitz, Oslo. 1984: Café de Stijl, Oslo. 1985: Galleri Cherub, Oslo; Kafé Våra, Oslo. 1988: Henie Onstad Kunstsenter, Hövikodden (N); Bergen Kunstforening, Bergen (N).

groepstentoonstellingen
group exhibitions
1985: Galleri Katten, Oslo; Stipendutstillingen, Fotogalleriet, Oslo. 1987: 'Prosjekt '87', Sandefjord Kunstforening; SIMULO (cat.), Oslo.
overig
other
1985: startsubsidie/starters' bursary. 1987: projectsubsidie/project bursary.

FIN SERCK-HANSSEN

woonplaats
residence
Oslo (N)
geboren
born
1958, Oslo
opleiding
education
BA (Hons) Photographic Studies, Derby (GB)
publicaties
publications
1986: 'Sort sofistikert' boek met/ book with Haug Cappelen. 1987: 'Ten Norwegian photographers'; Siksi Nordic Art Review 54.
eenmanstentoonstellingen
one man exhibitions
1983: Gallery Foton, Oslo. 1985: '10 Blue menn', Cafe De Stijl, Oslo. 1986: '10 Blue menn', UFFA huset, Trondheim (N). 1987: Photographs, Hennie Onstad Art Center, Oslo.
groepstentoonstellingen
group exhibitions
1983: 'New Contemporaries', ICA, London. 1984: 'European Photography', reizende tentoonstelling/ travelling exhibition (GB/ USA); 'Exposed', UKS, Oslo. 1985: 'Night/ Day', diversen/various: Oslo, Copenhagen (DK), Stockholm (S). 1987: 'Scandinavian Photography', Museum für moderne Kunst, DÜsseldorf (D); '10 Norwegian Photographers', Photohouse Göteborg (S); Simulo, Townhall, Oslo. 1988: Houston Foto Fest 88, Marathon Oil Houston (USA).

NEDERLAND
THE NETHERLANDS

ROB NYPELS

woonplaats
residence
Giekerk (NL)

geboren
born
1951, Leiden (NL)

opleiding
education
Koninklijke Academie voor Beeldende Kunsten, Den Haag; Jan van Eyck Academie, Maastricht.

eenmanstentoonstellingen
one man exhibitions
1979: Cociedade de Belas Artes, Lisboa. 1980: De Appel, Amsterdam. 1981: Galerie St. Petri, Lund (S); HCAK, Den Haag. 1983: De Zaak, Groningen. 1985: Galerie Julius Wijffels, Leeuwarden. 1986: Academie Minerva, Groningen; Stedelijk Museum, Amsterdam. 1987: Kasteel Groeneveld, Baarn. 1988: Museum Princessehof, Leeuwarden.

groepstentoonstellingen
group exhibitions
1981: Groninger Museum. 1985: Museum Princessehof, Leeuwarden; De Zaak, Groningen; Kunstcentrum Limburg, Maastricht. 1986: Rijksaankopen 1985, Den Haag. 1988: Fries Museum, Leeuwarden.

overig
other
1978-80: diverse/various performances. 1986,1987: werkbeurs Ministerie van WVC/ bursary Ministry of Culture.

HENK TAS

woonplaats
residence
Rotterdam (NL)

geboren
born
1949, Rotterdam

opleiding
education
Academie van Beeldende Kunsten Rotterdam

publicaties
publications
1971: 'Sweet Home' (cat.). 1974: 'Stadsschilderingen Rotterdam', Rotterdamse Kunststichting. 1980: Hard werken No.5. 1981: 'Andere fotografie', Nederlandse Kunststichting, Amsterdam. 1983: 'Geconstrueerd voor foto's', Nederlandse Kunststichting.

eenmanstentoonstellingen
one man exhibitions
1972: 't Venster, Rotterdam. 1980: Galerie VAN, Haarlem. 1983: Galerie Westersingel 8, Rotterdam. 1984: Perspektief, Rotterdam. 1987: 'Tasmania', Galerie Fotomania, Leiden. 1988: 'Like It Now, You'll Love It Later', Galerie Torch/Onrust, Köln (D); 'Celluloid Rock', Lantaren/Venster, Rotterdam.

groepstentoonstellingen
group exhibitions
1972: Lijnbaancentrum. 1982: 'Andere fotografie'. 1984: 'Verlichte fotografie', Centrum Beeldende Kunst, Rotterdam. 1985: 'Imaginacion como Realidad', Zaragoza (E). 1986-87: 'Fotografia Buffa', Groninger Museum; Rheinisches Landesmuseum, Bonn. 1987: KunstRAI, Amsterdam; 'Kunst over de vloer', Amsterdam; 'La Photographie Hollandaise', Caves Stes. Croix, Metz (F); 'Een Grote Activiteit', Stedelijk Museum, Amsterdam.

overig
other
organisator/organizer, performer, dj e.g. : 'Swop 'n Bop', CBK, Rotterdam; 'Big Photo Boogaloo', Perspektief, Rotterdam, etc.

LIDWIEN VAN DE VEN

woonplaats
residence
Rotterdam (NL)

geboren
born
1963, Hulst (NL)

publicaties
publications
1986: Metropolis M (November). 1987: Bijvoorbeeld.

eenmanstentoonstellingen
one man exhibitions
1987: Westersingel 8, Rotterdam. 1988: Galerie Paul Andriesse, Amsterdam.

groepstentoonstellingen
group exhibitions
1984: Lucaskrater, groningen. 1985: 'Le Vent du Nord', Institut Néerlandais, Paris; Galerie Paul Andriesse, Amsterdam. 1986: Kunsthistorisch Instituut Rijksuniversiteit Groningen (cat.); Galerie Paul Andriesse/ KunstRAI, Amsterdam; Stichting Beeldende Kunst, Amsterdam (cat.); 'Rijksaankopen 1985' (cat.), Rijksdienst Beeldende Kunst, Den Haag. 1987: 'Stipendia '85-'86' (cat.), YTechgebouw, Amsterdam; 'oud-AKI', Rijksmuseum Twente, Enschede. 1988: 'Stipendia '86-'87' (cat.), Amsterdam; Gele Rijder, Arnhem.

collecties
collections
Rijksdienst Beeldende Kunst; Gemeente Amsterdam; Gemeente Rotterdam; Gemeente Museum Helmond.

overig
other
Startstipendium/ starters' bursary 1985-86 & 198788.

FINLAND
FINLAND

ULLA JOKISALO

woonplaats
residence
Helsinki (SF)

geboren
born
1955

opleiding
education
1977-83, University of Industrial Arts, Helsinki

eenmanstentoonstellingen
one man exhibitions
1983: 'About Loneliness, about What Separates Us And What Memory Combines to A Collective Experience, Us', Helsinki, Lappeenranta (SF). 1984: 'Central vocabulary', Helsinki, Kotka (SF), Pori (SF). 1986: 'Appearance', Helsinki, Turku (SF).

groepstentoonstellingen
group exhibitions
1981: 'Men', Helsinki, Iisalmi (SF). 1982: 'Personal', Helsinki. 1984: '26 women photographers', Helsinki, Turku, Amsterdam. 1985: 'Modern Finnish photography', Tokio. 1986: 'Zeitgenössische Finnische Photographen', Zürich (CH); 'Directions - Finnish Photography 1842-1986'. Helsinki (1988 Houston (USA)). 1986/87: 'VII Internationale Fotosymposium', Düsseldorf (D).

collecties
collections
Pori Art Museum, Photographic Museum of Finland, Valokuvataiteen Seura Waino Aaltonen Museum, Turku (SF).

overig
other
beurs/scholarship University of Industrial Arts, 1983; staatsprijs/state prize for photography 1984.

RAAKEL KUUKKA

woonplaats
residence
Helsinki (SF)

geboren
born
1955

opleiding
education
University of Industrial Arts, Helsinki

eenmanstentoonstellingen
one man exhibitions
1987: Helsinki

groepstentoonstellingen
group exhibitions
1983: Young Photographers. 1984: '26 women photographers', Helsinki, Turku (SF), Amsterdam (NL). 1985: 'Oneself', Turku.

overig
other
docent/teacher University of Industrial Arts.

JORMA PURANEN

woonplaats
residence
Helsinki (SF)

geboren
born
1951

opleiding
education
-1978: University of Industrial Arts, Helsinki

publicaties
publications
1986: 'Maarf Leu'dd, photographs of the sami'.

eenmanstentoonstellingen
one man exhibitions
1978: 'Orofa leu'dd- photographs of the sami people', Helsinki. 1981: Dawijienat, Helsinki. 1982: Oslo (N); Saintes (F); Budapest (H). 1986: Florence (I).

groepstentoonstellingen
group exhibitions
1977L: DDR. 1979: '4 finska fotografer', Stockholm (S). 1980: 'North and South of the Baltic', Massachusetts (USA). 1984: 'Jäävuori I', Helsinki. 1985: 'Itse', Turku (SF); 'Modern Finnish photography', Tokio. 1986: 'Sivulta seinälle', Lahti (SF), Helsinki; 'Directions - Finnish Photography 1842-1986', Helsinki (1988 Houston (USA)).

overig/ot
er: docen
fotografie/teacher photography University of Industrial Arts.

KARI PAAJANEN

woonplaats
residence
Helsinki (SF)

geboren
born
1956

opleiding
education
1977-83: University of Industrial Arts.

eenmanstentoonstellingen
one man exhibitions
1983: 'Quiet light', Helsinki, Bratsk (DDR), Kemi (SF). 1984: 'Yksintein', Kemi. 1985: 'Vapaassa päässä', Helsinki, Oulu Kuopio; 'Nimetön', Helsinki, Jyväskylä, Kuopio (SF). 1987: 'Requiem', Lahti (SF), Helsinki.

groepstentoonstellingen
group exhibitions
1981: 'Modern Finnish Photography', Japan, Switzerland, USA.

(Selected)
curricula vitae